JOYCE MEYER

Campo de Batalha da mente
Vencendo a batalha em sua mente

JOYCE MEYER

Campo de Batalha
da mente

Vencendo a batalha em sua mente

JOYCE MEYER

Campo de Batalha
da mente
Vencendo a batalha em sua mente

3ª. Edição

Edição publicada mediante acordo com FaithWords, New York, New York. Todos os direitos reservados.

Diretor
Lester Bello

Autora
Joyce Meyer

Título Original
Battlefield of the Mind

Tradução
Serlene Passos

Revisão
Tucha

Diagramação
Julio Fado
Ronald Machado (Direção de arte)

Design capa (Adaptação)
Fernando Rezende
Ronald Machado (Direção de arte)

Impressão e Acabamento
Promove Artes Gráficas

bello

Rua Major Delfino de Paula, 1212
São Francisco, CEP 31.225-170
Belo Horizonte/MG - Brasil
contato@belloeditora.com
www.belloeditora.com

© 1995 Joyce Meyer
Copyright desta edição:
FaithWords

Publicado pela
Bello Comércio e Publicações Ltda-ME
com a devida autorização de
FaithWords, New York, New York.

Todos os direitos autorais
desta obra estão reservados.

1ª Edição - Setembro 2004
2ª Edição - Maio 2007
3ª Edição - Novembro 2009
11ª Reimpressão - Janeiro de 2017
12ª Reimpressão - Maio de 2021

Dados Internacionais de Catalogação na Publicação (CIP)
(Câmara brasileira do Livro, SP, Brasil)

Meyer, Joyce, 1943.
    Campo de batalha ad mente: vencendo a batalha em sua mente / Pauline Joyce
    Meyer; [tradução de Serlene Passos]. - Belo Horizonte: Bello Publicações, 2017.

    272 p.
    Título original: Battlefield of the Mind.
    Bibliografia
    ISBN: 978-85-61721-48-0

        1. Auto-avaliação 2. Combate Espiritual - Ensino Bíblico 3. Mente e corpo
4. Paz de espírito 5. Vida cristã I. Título

    CDD: 212.1
    CDU: 231.11

Índice para catálogo sistemático:
1. Campo de batalha da mente: Vida Cristã: cristianismo 248.4

É proibida a reprodução, armazenamento ou transmissão de qualquer forma ou por qualquer meio - eletrônico, mecânico, fotocópia, gravação ou outro - sem a autorização prévia por escrito da editora.

As citações bíblicas, na sua maioria, são da Amplified Bible (Bíblia Amplificada), versão ainda não traduzida para o português. Nesta tradução, portanto, optamos por utilizar a versão Almeida Revista e Atualizada (SBB 1997), compatibilizada com o texto da versão King James, a mais respeitada em língua inglesa. Os textos entre [ ] são traduções da Amplified Bible.

Dedico este livro ao meu filho mais velho, David.
Sei que a personalidade dele é tão igual à minha que teve sua cota de
lutas na área mental. Eu o vejo crescendo continuamente e sei que está
experimentando as vitórias que vêm da renovação da mente.
Eu o amo, David, e tenho orgulho de você. Vá em frente!

Índice

Parte 1: A importância da mente — 9

Introdução — 11
1. A Mente é o Campo de Batalha — 15
2. Uma Necessidade Vital — 27
3. Não Desista! — 31
4. Pouco a Pouco — 37
5. Seja Positivo — 43
6. Espíritos Aprisionadores da Mente — 55
7. Pense Sobre o Que Você Está Pensando — 59

Parte 2: Condições da Mente — 67

Introdução — 69
8. Quando Minha Mente Está Normal? — 73
9. Uma Admirável Mente Divagante — 81
10. Uma Mente Confusa — 87
11. Uma Mente Duvidosa e Descrente — 97
12. Uma Mente Ansiosa e Preocupada — 109
13. Uma Mente Julgadora, Crítica e Desconfiada — 123
14. Uma Mente Passiva — 139
15. A Mente de Cristo — 149

Parte 3: Mentalidades de Deserto 173

Introdução 175

16. Meu Futuro é Determinado Pelo Meu
Passado e Pelo Meu Presente 179

17. Alguém Faça Para Mim; Não Quero Assumir
a Responsabilidade 185

18. Por Favor, Torne Tudo Fácil, Não Posso
Aguentar se as Coisas Forem Muito Difíceis! 195

19. Não Posso Evitar; Simplesmente sou
Viciado em Resmungar, Censurar e me Queixar 203

20. Não Me Faça Esperar Por Nada;
Mereço Tudo Imediatamente 213

21. Meu Comportamento Pode Estar Errado,
Mas Não é Minha Culpa 223

22. Minha Vida é Tão Miserável; Tenho Pena de
Mim Mesmo Porque Minha Vida é Tão Infeliz 233

23. Não Mereço as Bênçãos de Deus Porque Não Sou Digno 239

24. Por que Eu Não Deveria ser Ciumento e Invejoso
Quando Todo Mundo Está em Melhor
Situação do que Eu? 247

25. Vou Fazer do Meu Jeito ou, Então,
Não Faço de Jeito Nenhum 255

Notas 263

Bibliografia 265

Sobre a Autora 267

PARTE 1

A Importância da Mente

Introdução

 Porque as armas da nossa milícia não são carnais [armas de carne e sangue], e sim poderosas em Deus, para destruir [derrotar] fortalezas, anulando sofismas, [Visto que refutamos argumentos e teorias e questionamentos] e toda altivez [e superioridade] que se levante contra o [verdadeiro] conhecimento de Deus, e levando cativo todo pensamento [e propósito] à obediência de Cristo (o Messias, o Ungido).

2 CORÍNTIOS 10.4-5

Como podemos expressar suficientemente a importância dos nossos pensamentos para transmitir o verdadeiro significado de Provérbios 23.7: *Porque, como [uma pessoa] imagina em sua alma, assim ela é...?*

Quanto mais sirvo a Deus e estudo sua Palavra, mais percebo a importância de pensamentos e palavras. De forma bastante regular, encontro o Espírito Santo me direcionando para estudar essas áreas.

Eu disse, e creio que é verdade, que enquanto estivermos nesta Terra precisaremos estudar as áreas do pensamento e das palavras. Não importa quanto saibamos em qualquer área, sempre há coisas novas a aprender e coisas que aprendemos anteriormente em que precisamos nos reciclar.

O que exatamente significa Provérbios 23.7? A versão King James diz, ... *Porque, como [um homem] imagina em seu coração, assim ele é...* Outra tradução diz: "Como um homem pensa em seu coração, assim ele realmente se torna".

A mente é a líder ou a precursora de todas as ações. Romanos 8.5 torna claro: *Porque os que se inclinam para a carne [e são controlados por seus desejos ímpios] cogitam das coisas da carne [colocam suas mentes e buscam aquelas coisas que gratificam a carne]; mas os que se inclinam para o Espírito [e são controlados pelos desejos do Espírito] cogitam das coisas do Espírito [colocam suas mentes e buscam aquelas coisas que gratificam o Espírito Santo].*

Nossas ações são o resultado direto de nossos pensamentos. Se tivermos uma mente negativa, teremos uma vida negativa. Se, por outro lado, renovarmos nossa mente de acordo com a Palavra de Deus, provaremos, em nossa experiência, o que está escrito em Romanos 12.2 – "a boa, agradável e perfeita vontade de Deus" – para nossa vida.

Dividi este livro em três partes principais. A primeira trata da importância dos pensamentos. Quero estabelecer firmemente em seu coração, para sempre, que você precisa começar a pensar sobre o que você está pensando.

Os problemas das pessoas estão tão enraizados em padrões de pensamento que, na realidade, produzem os problemas que elas experimentam na vida diária. Satanás oferece formas de pensar erradas a todo mundo, mas nós não somos obrigados a aceitar sua oferta. Aprenda que tipos de pensamento são aceitáveis ao Espírito Santo e que tipos não são aceitáveis.

A segunda carta aos Coríntios 10.4,5 indica claramente que devemos conhecer suficientemente bem a Palavra de Deus para sermos capazes de comparar o que está em nossa mente com o que

Introdução

está na mente de Deus; qualquer pensamento que tente se exaltar a si mesmo além da Palavra de Deus deve ser lançado fora e levado cativo a Jesus Cristo.

Oro para que este livro o ajude a fazer isso.

A mente é um campo de batalha. É uma necessidade vital que alinhemos nossos pensamentos com os pensamentos de Deus. Esse é um processo que demandará tempo e estudo.

Jamais desista, porque pouco a pouco você vai mudando. Quanto mais sua mente mudar para melhor, mais sua vida mudará para melhor. Quando começar a ver o bom plano de Deus para você em sua maneira de pensar, começará a andar nele.

Capítulo 1

A Mente é o Campo de Batalha

> *Porque a nossa luta não é contra o sangue e a carne [não estamos combatendo apenas contra oponentes físicos], e sim contra [os despotismos] os principados e potestades, contra os [espíritos mestres que são] dominadores deste mundo tenebroso, contra as forças espirituais do mal, nas regiões celestes [sobrenaturais].*
>
> EFÉSIOS 6.12

Nessa passagem, vemos que estamos em uma guerra. Um estudo cuidadoso desse verso nos informa que nossa guerra não é contra outros seres humanos, mas contra o mal e seus demônios. Nosso inimigo, Satanás, tenta nos derrotar com estratégia e engano, mediante planos bem elaborados e engano deliberado.

O diabo é um mentiroso. Jesus chamou-o de... o pai das mentiras e de tudo o que é falso (João 8.44). Ele mente para você e para mim. Ele nos diz coisas sobre nós mesmos, sobre outras pessoas e sobre as circunstâncias que simplesmente não são verdadeiras. Ele não nos diz, entretanto, a mentira toda de uma vez.

Ele começa bombardeando nossa mente com um padrão astuciosamente delineado de pequenos pensamentos importunos, suspeitas, dúvidas, medos, perguntas, questionamentos e teorias. Ele se move vagarosa e cautelosamente (afinal de contas, planos bem elaborados tomam tempo). Lembre-se: ele tem uma estratégia para a sua guerra. Ele tem nos estudado há um longo tempo.

Ele sabe do que gostamos e do que não gostamos. Conhece nossas inseguranças, nossas fraquezas e nossos medos. Sabe o que mais nos aborrece. Ele está pronto para investir o tempo que for necessário para nos derrotar. Um dos pontos fortes do diabo é a paciência.

DEMOLINDO FORTALEZAS

Porque as armas da nossa milícia não são carnais [armas de carne e sangue], e sim poderosas em Deus, para destruir [e derrotar] fortalezas, anulando sofismas, [Visto que refutamos argumentos e teorias e questionamentos] e toda altivez [e superioridade] que se levante contra o [verdadeiro] conhecimento de Deus, e levando cativo todo pensamento [e propósito] à obediência de Cristo (o Messias, o Ungido).

2 Coríntios 10.4-5

Satanás tenta estabelecer "fortalezas" em nossa mente, mediante uma estratégia cuidadosa e engano astuto. Uma fortaleza é uma área na qual somos mantidos escravizados (em prisão) em decorrência de certa forma de pensar.

Nessa passagem, o apóstolo Paulo nos diz que temos as armas de que precisamos para dominar as fortalezas de Satanás. Aprenderemos mais sobre essas armas mais tarde, mas, agora, note que estamos mais uma vez engajados em uma guerra: a guerra espiritual. O verso 5 nos mostra claramente o local da batalha na qual essa guerra é travada.

A tradução desse versículo na *Amplified Bible* (Bíblia Amplificada) diz que devemos tomar essas armas e refutar os argumentos.

O diabo argumenta conosco, oferece-nos teorias e questionamentos. Toda essa atividade se passa na mente.

A mente é o campo de batalha.

RESUMO DA SITUAÇÃO

Portanto, até aqui vimos que:

1. Estamos engajados em uma guerra;
2. Nosso inimigo é Satanás;
3. A mente é o campo de batalha;
4. O diabo trabalha diligentemente para estabelecer fortalezas em nossa mente;
5. Ele faz isso mediante estratégia e engano (planos bem elaborados e engano astuto);
6. Ele não está com pressa; desenvolve seu plano com o tempo;

Vamos examinar seu plano mais claramente por meio de uma parábola.

O LADO DE MARIA

Maria e seu marido, João, não estão desfrutando um casamento feliz. Há discórdia entre eles todo o tempo. Ambos estão irritados, amargos e ressentidos. Eles têm dois filhos que estão sendo afetados pelos problemas em casa. A discórdia está transparecendo nos trabalhos escolares e no comportamento deles. Uma das crianças está tendo problemas de estômago, causados pelos nervos.

O problema de Maria é que ela não sabe como deixar João ser o cabeça da família. Ela é mandona – quer tomar todas as decisões, administrar as finanças e a disciplina das crianças. Ela quer trabalhar, pois, assim, terá seu "próprio" dinheiro. Ela é independente, barulhenta, exigente e resmungona.

A esta altura você deve estar pensando: "Eu tenho a resposta para ela. Ela precisa conhecer Jesus".

Ela o conhece! Maria recebeu Jesus como seu Salvador há cinco anos — três anos depois que ela e João haviam se casado.

"Você quer dizer que não houve uma mudança em Maria desde que ela recebeu Jesus como Salvador?"

Sim, houve mudança. Ela acredita que vai para o céu, mesmo que seu mau comportamento a faça sentir-se em constante condenação. Agora ela tem esperança. Antes de encontrar Jesus, era infeliz e desesperançada; agora é só infeliz.

Maria sabe que sua atitude está errada. Ela quer mudar. Ela tem sido aconselhada por duas pessoas e pede, em quase cada frase das suas orações, vitória sobre a ira, a rebeldia, a falta de perdão, o ressentimento e a amargura. Por que não tem visto mais progresso?

A resposta encontra-se em Romanos 12.2:

> E não vos conformeis com este século [este mundo, modelado e adaptado aos seus costumes superficiais], mas transformai-vos pela [completa] renovação da vossa mente [por seus novos ideais e novas atitudes], para que experimenteis [por vós mesmos] qual seja a boa, agradável e perfeita vontade de Deus [aquilo que é bom e aceitável e perfeito à vista dele para vós].

Maria tem fortalezas em sua mente. Elas têm estado lá por anos. Ela nem mesmo entende como elas foram parar lá. Ela sabe que não deveria ser rebelde, mandona, resmungona, etc., mas não sabe o que fazer para mudar sua natureza. Parece que simplesmente reage diante de certas situações de forma inconveniente, porque não consegue controlar suas ações.

Maria não pode controlar suas ações porque não controla seus pensamentos. Ela não controla seus pensamentos porque eles são fortalezas que o diabo colocou bem cedo em sua mente.

A Mente é o Campo de Batalha

Satanás começa a desenvolver seus bem elaborados planos e a semear seu engano deliberado em uma idade bem tenra. No caso de Maria, seus problemas começaram há muito tempo, na infância.

Na infância, Maria tinha um pai extremamente dominador, que frequentemente a espancava apenas porque estava de mau humor. Se ela fizesse um movimento errado, ele descarregava sua ira nela. Por anos, ela sofreu sem nenhum auxílio, enquanto seu pai a maltratava, bem como sua mãe. Ele era desrespeitoso de todas as maneiras para com sua esposa e sua filha. O irmão de Maria, entretanto, era perfeito. Parecia que era favorecido apenas porque era um menino.

Aos dezesseis anos, Maria tinha, por muitos anos, sofrido lavagem cerebral de Satanás, que lhe tinha contado mentiras mais ou menos assim: "Os homens realmente pensam que são alguma coisa. Eles são todos iguais; você não pode confiar neles. Eles a machucarão e tirarão vantagem de você. Se você é um homem, está com a vida feita. Pode fazer qualquer coisa que quiser. Pode dar ordens às pessoas à sua volta, ser mandão, tratar as pessoas da maneira que lhe agrada, e ninguém (especialmente esposas e filhas) pode fazer qualquer coisa a respeito."

Consequentemente, a mente de Maria estava resolvida: "Quando eu for embora daqui, ninguém jamais me dará ordens outra vez"!

Satanás já estava promovendo a guerra no campo de batalha de sua mente. Repita esses pensamentos vezes e vezes em sua cabeça, umas cem mil vezes ou mais em um período de dez anos e veja se está pronta para se casar e se transformar em uma esposa doce, submissa, adorável... Mesmo que o queira, por algum milagre, você não saberá como. Esse é o tipo de confusão na qual Maria se encontra hoje. O que ela pode fazer? O que pode qualquer um de nós fazer em tal situação?

Capítulo 1

AS ARMAS DA PALAVRA

 ... Se vós permanecerdes na minha palavra [se vos agarrardes com força aos meus ensinamentos e viverdes de acordo com eles], sois verdadeiramente meus discípulos. E conhecereis a verdade, e a verdade vos libertará.

João 8.31,32

Aqui Jesus nos diz como devemos ganhar a vitória sobre as mentiras de Satanás. Nós devemos ter o conhecimento da verdade de Deus em nós, renovar nossa mente com sua Palavra e, então, usar as armas de 2 Coríntios 10.4-5 para destruir fortalezas e toda altivez e superioridade que se levantam contra o conhecimento de Deus.

Essas "armas" consistem na Palavra recebida por meio da pregação, ensino, livros, gravações, seminários e estudo individual da Bíblia. Mas nós devemos "habitar" (continuar) na Palavra até que ela se torne revelação dada pela inspiração do Espírito Santo. É importante continuar. Em Marcos 4.24 Jesus diz: *Com a medida [de reflexão e estudo] com que tiverdes medido [a verdade que ouvis] vos medirão [será a medida de virtude e conhecimento com que vos medirão] também, e ainda se vos acrescentará...* Repito, devemos continuar usando a arma da Palavra.

As duas outras armas à nossa disposição são o louvor e a oração. O louvor derrota o mal mais rapidamente do que qualquer outro plano de batalha, mas deve ser louvor genuíno do coração, não apenas louvor dos lábios ou um método tentado para ver se funciona. Também, ambos, louvor e oração, envolvem a Palavra. Louvamos a Deus de acordo com sua Palavra e Sua bondade.

A oração é o relacionamento com Deus. É vir e pedir ajuda a Deus ou falar com Ele sobre alguma coisa que nos preocupa.

Se você quer ter uma vida efetiva de oração, desenvolva um bom relacionamento pessoal com o Pai. Saiba que Jesus o ama, que Ele é cheio de misericórdia, que Ele o ajudará. Conheça Jesus. Ele é seu amigo. Ele morreu por você. Conheça o Espírito Santo. Ele está com você todo o tempo como seu Ajudador. Deixe-o ajudá-lo.

Aprenda a encher suas orações com a Palavra de Deus. A Palavra de Deus e as nossas necessidades são a base pela qual vamos a Deus.

Então, nossas armas são a Palavra usada de várias formas. Como Paulo nos diz em 2 Coríntios, nossas armas não são armas carnais; elas são espirituais. Precisamos de armas espirituais porque estamos combatendo espíritos mestres, sim, o próprio diabo. Mesmo Jesus usou a arma da Palavra no deserto para derrotar o mal (Lucas 4.1-13). Cada vez que o diabo mentia a Jesus, ele respondia: "Está escrito" — e citava a Palavra.

À medida que Maria aprender a usar suas armas, ela começará a destruir as fortalezas que foram construídas em sua mente. Ela conhecerá a verdade, que a libertará. Ela verá que nem todos os homens são como seu pai terreno. Seu marido, João, não é. Ele a ama muito.

O LADO DE JOÃO

O outro lado da história envolve João. Ele também tem problemas que contribuem para a situação com que ele e Maria deparam no casamento dele, no lar e na família.

João deveria estar tomando seu lugar como chefe da família. Deus quer que ele seja o pastor de seu lar. João também é nascido de novo e conhece a ordem correta para a vida familiar. Ele sabe que não deveria permitir que a esposa administrasse a casa, as finanças, a vida das crianças e a dele. Ele sabe tudo isso, mas não faz nada a respeito, a não ser sentir-se derrotado e voltar-se para a TV e para os esportes.

João está se escondendo da responsabilidade porque ele odeia o confronto. Ele prefere tomar uma atitude passiva pensando: "Bem,

Capítulo 1

quem sabe se eu deixar a situação como está ela se conserta por si mesma"? Ou ele se desculpa por fazer alguma coisa ao dizer: "Vou orar sobre isso". Claro que a oração é uma coisa boa, mas não se for apenas uma maneira de fugir da responsabilidade.

Vou esclarecer o que quero dizer quando digo que João deveria assumir a posição que lhe foi dada por Deus em seu lar. Não quero dizer que ele deveria vir como "Sr. Macho", discursando e gritando sobre sua autoridade. Efésios 5.25 ensina que um homem deveria amar sua esposa como Cristo amou a Igreja. João precisa assumir sua responsabilidade, pois com a responsabilidade vem a autoridade. Ele deveria ser firme com sua esposa – amoroso, mas firme. Ele deveria assegurar a Maria que, embora ela tenha sido ferida quando criança, à medida que se entregar a Deus tendo fé nele, ela irá acreditar que nem todos os homens são como seu pai era.

João deveria estar fazendo muitas coisas; mas, como Maria, ele também tem opiniões já formadas que abrem a porta para que o diabo as mantenha. Há também uma batalha se travando na mente de João. Como Maria, ele também sofreu abuso na infância. Sua mãe dominadora sempre dizia: "João, você é um desastre; você nunca será nada".

João tentou muito agradar à sua mãe, porque ele ansiava por sua aprovação (como todas as crianças); mas, quanto mais tentava, mais erros ele cometia. Ele era desastrado, então sua mãe lhe dizia todo o tempo quão desajeitado ele era. Claro, ele derrubava coisas porque estava tentando de tal forma agradar que isso o deixava nervoso e, assim, ele frustrava seu propósito.

Ele também experimentou algum tipo de rejeição por parte das crianças de quem desejava ser amigo. Esse tipo de coisa acontece conosco em alguma altura da nossa vida, mas isso arrasava João porque ele já se sentia rejeitado por sua mãe.

E ainda havia uma garota de quem ele realmente gostara, no início do seu curso colegial, que o trocou por outro garoto. No momento em que todas essas coisas estavam registradas na vida de João e o diabo havia trabalhado nele construindo fortalezas em sua mente por anos e anos, João simplesmente não teve coragem para ser outra coisa senão alguém quieto, tímido e introvertido.

João é uma pessoa apagada, que simplesmente prefere não atrair atenções. Por anos ele tem pensamentos em relação a si próprio, mais ou menos assim: "Não faz sentido dizer a ninguém o que você pensa; ninguém ouvirá mesmo. Se você quer que as pessoas o aceitem, precisa apenas concordar com o que quer que elas queiram".

As poucas vezes em que ele tentou dar sua opinião sobre um assunto pareceu-lhe que sempre acabava perdendo, então, finalmente, decidiu que o confronto não valia a pena.

"Eu vou perder de qualquer forma no final", ele raciocinava, "então por que começar qualquer coisa"?

QUAL É A RESPOSTA?

> *O Espírito do Senhor está sobre mim, pelo que [O Ungido, O Messias] me ungiu para evangelizar [pregar as boas novas a] os pobres; enviou-me para proclamar libertação aos cativos e restauração da vista aos cegos, para pôr em liberdade os oprimidos [os tiranizados, machucados, esmagados e quebrados pela calamidade]. E apregoar o ano [aceito e] aceitável do Senhor [o dia quando a salvação e os favores graciosos de Deus abundam profusamente].*
>
> LUCAS 4.18-19

Com os problemas conflitantes de João e Maria, não é muito difícil imaginar como é o lar deles. Lembre-se, eu disse que havia muita discórdia nele. Discórdia nem sempre é guerra. Muitas vezes a discórdia é uma propensão oculta de ira no lar que todos sabem que está lá, mas ninguém trata dela. A atmosfera no lar é terrível, e o diabo ama isso!

Capítulo 1

O que acontecerá a João e a Maria, bem como a seus filhos? Eles conseguirão? Eles são cristãos – seria uma vergonha ver o casamento fracassado e a família arruinada. Entretanto, isso é da conta deles. João 8.31-32 será a passagem bíblica-chave na decisão deles. Se eles continuarem a estudar a Palavra de Deus, conhecerão a verdade e, agindo na verdade, ela os tornará livres. Mas eles devem encarar a verdade sobre eles mesmos e sobre o passado deles, à medida que Deus a revela a eles.

A verdade é sempre revelada por meio da Palavra; mas, tristemente, as pessoas nem sempre a aceitam. É um penoso processo encarar nossas falhas e lidar com elas. De forma geral, as pessoas justificam o mau comportamento. Elas permitem que seu passado e o modo como elas foram criadas lhes afetem negativamente o resto da vida.

Nosso passado pode explicar por que nós estamos sofrendo, mas não devemos usá-lo como desculpa para permanecermos escravos dele.

Ninguém tem desculpa, porque Jesus está sempre pronto a cumprir sua promessa de libertar os cativos. Ele nos conduzirá à linha de chegada da vitória em qualquer área se estivermos prontos para caminhar toda a estrada com ele.

A SAÍDA

Não vos sobreveio [não tomou conta de vós] tentação [nenhuma provação que incite o pecado, seja como for que tenha vindo ou para onde leve] que não fosse humana [isto é, nenhuma tentação ou provação veio a vós que estivesse além da resistência humana e que não fosse ajustada e adaptada e que não pertencesse à experiência humana, de tal forma que um homem pudesse suportar]; mas Deus é fiel [à sua Palavra e à sua natureza misericordiosa] e não permitirá que sejais tentados [e provados] além das vossas forças [habilidade e força de resistência e poder para resistir]; pelo

contrário, juntamente com a tentação, [sempre] vos proverá livramento [uma forma de escapar para um lugar de pouso], de sorte que [sejais capazes e fortes e poderosos para que] a possais suportar.

I Coríntios 10.13

Espero que você veja nesse exemplo de parábola como Satanás toma nossas circunstâncias e constrói fortalezas em nossa vida – como ele trava a guerra no campo de batalha da mente. Mas, graças a Deus, nós temos armas para destruir as fortalezas. Deus não nos abandona e nem nos deixa desamparados. A primeira carta aos Coríntios 10.13 nos promete que Deus não permitirá que sejamos tentados além do que nós podemos suportar, mas com cada tentação ele também providenciará a saída, o escape.

Qualquer um de nós pode ser Maria ou João. Estou certa de que a maioria de nós, de alguma forma, se identifica com o cenário. Seus problemas são internos – em seus pensamentos e em suas atitudes. Seu comportamento externo é apenas um resultado de sua vida interior. Satanás sabe bem que, se ele puder controlar nossos pensamentos, ele poderá controlar nossas ações.

Você pode ter algumas importantes fortalezas em sua vida que precisam ser quebradas. Deixe-me encorajá-lo dizendo: "Deus está do seu lado". Há uma guerra se desenrolando, e sua mente é o campo de batalha. Mas a boa notícia é que Deus está lutando do seu lado.

Capítulo 2

Uma Necessidade Vital

Porque, como imagina em sua alma, assim ele é...
PROVÉRBIOS 23.7

Esse versículo bíblico, por si só, nos deixa saber como é importante que pensemos adequadamente. Os pensamentos são poderosos e, de acordo com o escritor do livro de Provérbios, possuem uma habilidade criativa. Se nossos pensamentos podem influenciar no que nos tornaremos, então deve ser prioridade nossa ter pensamentos corretos. Quero que você sinta a absoluta necessidade de manter seus pensamentos em linha com a Palavra de Deus.

Você não pode ter uma vida positiva e uma mente negativa.

A MENTE DA CARNE COMPARADA À MENTE DO ESPÍRITO

Porque os que se inclinam para a carne [e são controlados por seus desejos ímpios] cogitam das coisas da carne [colocam suas mentes e buscam aquelas coisas que gratificam a carne]; mas os que se inclinam para o Espírito [e são controlados pelos desejos do Espírito] cogitam das coisas do Espírito [colocam a mente e buscam aquelas coisas que gratificam o Espírito Santo].

ROMANOS 8.5

Na Versão King James, o oitavo capítulo de Romanos nos ensina que, se colocarmos nossa mente nas coisas da carne, caminharemos na carne; mas, se colocarmos nossa mente nas coisas do Espírito, caminharemos no Espírito.

Deixe-me colocar de outra forma: Se temos pensamentos carnais, errados, negativos, não podemos caminhar no Espírito. Parece que uma mente renovada, santa, é uma necessidade vital para uma bem-sucedida vida cristã.

Haverá momentos em que nós, humanos, ficaremos preguiçosos a respeito de alguma coisa, se não nos dermos conta de quão importante é prestar atenção nela. Mas, quando percebemos que é um assunto que causará grandes problemas se o deixarmos para lá, então entramos em ação e cuidamos dele.

Vamos dizer, por exemplo, que o banco lhe telefone e diga que sua conta está com R$ 850,00 no vermelho. Você, imediatamente, procura resolver o problema. Talvez você descubra que não fez um depósito que pensou ter feito e, então, corre ao banco imediatamente com o depósito, para que não venha a ter mais problemas.

Eu gostaria que você considerasse este assunto de ter a mente renovada da mesma maneira.

Sua vida pode estar em um estado caótico pela sua maneira errada de pensar. Se assim for, é importante que você entenda o fato de que sua vida não se endireitará até que sua mente o faça. Você deveria considerar essa área de necessidade vital. Seja sério a respeito de demolir as fortalezas que Satanás construiu em sua mente. Use as suas armas da Palavra, do louvor e da oração.

PELO ESPÍRITO

Não por força nem por poder, mas pelo meu Espírito, diz o Senhor dos Exércitos.

Zacarias 4.6

Uma Necessidade Vital

Uma das melhores ajudas para ser livre é pedir a Deus ajuda – e pedir frequentemente. Uma das suas armas é a oração (pedir). Você não pode vencer seu problema sozinho. Você precisa ser determinado, mas determinado pelo Espírito Santo, não na força de sua carne. O Espírito Santo é seu Ajudador – busque a ajuda dEle. Descanse nEle. Você não pode realizar isso sozinho.

UMA NECESSIDADE VITAL

Para o cristão, pensar corretamente é uma necessidade vital. Uma necessidade vital é alguma coisa tão importante que simplesmente não podemos viver sem ela – como uma batida do coração é vital, ou a pressão sanguínea é vital. Essas são coisas sem as quais não há vida.

O Senhor imprimiu essa verdade em mim anos atrás, com respeito à comunhão pessoal com Ele em oração e com a Palavra. Eu estava tendo muita dificuldade de me disciplinar para fazer essas coisas, até que Ele me mostrou que elas eram uma necessidade vital.

Quando aprendi que a comunhão com Ele é vital, dei prioridade a isso em minha vida. Quando percebi que a forma correta de pensar é vital para uma vida vitoriosa, tornei-me mais séria sobre refletir sobre o que eu estava pensando e escolher meus pensamentos cuidadosamente.

COMO VOCÊ PENSA, ASSIM VOCÊ É

Ou fazei a árvore boa [saudável] e o seu fruto bom [saudável] ou a árvore má [doente] e o seu fruto mau [doente]; porque pelo fruto se conhece [e reconhece e julga] a árvore.

MATEUS 12.33

A Bíblia diz que uma árvore é conhecida pelo seu fruto.

Isso é verdade em nossa vida. Os pensamentos produzem frutos. Tenha pensamentos bons, e o fruto em sua vida será bom. Tenha maus pensamentos, e o fruto em sua vida será mau.

Na verdade, você pode olhar a atitude de uma pessoa e saber o tipo de pensamento que prevalece na vida dela. Uma pessoa doce e bondosa não tem pensamentos mesquinhos e vingativos. Da mesma maneira, uma pessoa verdadeiramente má não tem pensamentos bons, amorosos.

Lembre-se de Provérbios 23.7 e permita que ele tenha um impacto em sua vida: porque como você pensa em seu coração, assim você é.

Capítulo 3

Não Desista!

> *E não nos cansemos [nem percamos o ânimo e desfaleçamos]
> de fazer o bem, porque a seu tempo [e na estação certa] ceifaremos,
> se não desfalecermos [relaxarmos a nossa coragem].*
>
> GÁLATAS 6.9

Não importa quão ruim esteja a condição de sua vida e sua mente. Não desista! Reconquiste o território que Satanás roubou de você. Se necessário, reconquiste-o uma polegada de cada vez, sempre descansando na graça de Deus e não na sua própria habilidade para conseguir os resultados desejados.

Em Gálatas 6.9, o apóstolo Paulo simplesmente nos encoraja a "continuar continuando"! Não seja um desistente! Não tenha aquele velho espírito "desistente". Deus está procurando por pessoas que vão caminhar com Ele.

EM FRENTE

> *Quando passares pelas águas, eu serei contigo; quando, pelos rios,
> eles não te submergirão; quando passares pelo fogo,
> não te queimarás, nem a chama arderá em ti.*
>
> ISAÍAS 43.2

Capítulo 3

Seja o que for que você esteja experimentando em sua vida neste momento, eu o estou encorajando a ir em frente e a não desistir!

Habacuque 3.19 diz que a forma de desenvolvermos pés como os da corça (a corça é um animal que pode galgar montanhas rapidamente) é ... andar *[não ficar parado, aterrorizado, mas andar] e fazer progresso espiritual em lugares altos [de problema, sofrimento ou responsabilidade]!*

A forma de Deus nos ajudar a fazer progresso espiritual é estando conosco para nos fortalecer e nos encorajar a "continuar continuando" nos tempos difíceis.

É fácil desistir; demanda-se fé para ir em frente.

A ESCOLHA É SUA!

Os céus e a terra tomo, hoje, por testemunhas contra ti, que te propus a vida e a morte, a bênção e a maldição; escolhe, pois, a vida, para que vivas, tu e a tua descendência.

DEUTERONÔMIO 30.19

Há milhares e milhares de pensamentos que nos são apresentados todo dia. A mente tem de estar renovada para seguir o Espírito, e não a carne. Nossa mente carnal (mundana) tem tanta prática de operar livremente que, com certeza, não temos de fazer qualquer esforço para pensar erradamente.

Por outro lado, nós temos de escolher pensar certo propositadamente. Depois que finalmente decidirmos ter uma mente como a de Deus, então teremos de escolher e continuar a escolher pensamentos corretos.

Quando começarmos a sentir que a batalha da mente está muito difícil e que não daremos conta, então devemos ser capazes de lançar fora esse tipo de pensamento e escolher pensar que vamos conseguir! Não apenas devemos escolher pensar que vamos dar conta, mas também devemos decidir não desistir. Bombardeados com dúvidas e medos, devemos tomar posição e dizer: "Jamais desistirei! Deus está do meu lado, ele me ama e ele está me ajudando"!

Teremos muitas escolhas a fazer ao longo das nossa vida. Em Deuteronômio 30.19, o Senhor disse ao seu povo que Ele havia colocado diante deles a vida e a morte e instou que eles escolhessem a vida. E em Provérbios 18.21 está escrito, *A morte e a vida estão no poder da língua; o que bem a utiliza come do seu fruto...*

Nossos pensamentos se transformam em nossas palavras. Portanto, é vitalmente importante que *escolhamos* pensamentos geradores de vida. Quando o fizermos, as palavras corretas seguirão.

NÃO DESISTA!

Quando a batalha parece sem fim e você pensa que jamais dará conta, lembre-se de que você está reprogramando uma mente muito carnal e mundana para pensar como Deus pensa.

Impossível? *Não!*

Difícil? *Sim!*

Mas pense: você tem Deus em seu time. Ele é o melhor "programador de computador" que há por aí. (Sua mente é um computador que tem o lixo de uma vida inteira programado dentro dela.) Deus está trabalhando constantemente em você se você O convidou para tomar o controle dos seus pensamentos. Ele está reprogramando sua mente. Apenas continue cooperando com Ele – e *não desista!*

Isso definitivamente levará tempo e não será fácil, mas você está indo na direção correta se você escolheu a forma de Deus de pensar. Você gastará seu tempo fazendo alguma coisa, então que seja indo em frente e não ficando na mesma confusão para o resto da sua vida.

Capítulo 3

VOLTE E TOME POSSE!

O Senhor, nosso Deus, nos falou em Horebe, dizendo:
Tempo bastante haveis estado neste monte.
Voltai-vos e parti; ide à região montanhosa dos amorreus, e a todos os seus
vizinhos, na Arabá, e à região montanhosa, e à baixada, e ao Neguebe,
e à costa marítima, terra dos cananeus, e ao Líbano, até ao grande rio
Eufrates. Eis aqui a terra que eu pus diante de vós; entrai e possuí
a terra que o Senhor, com juramento, deu a vossos pais,
Abraão, Isaque e Jacó, a eles e à sua descendência depois deles.

DEUTERONÔMIO 1.6-8

Em Deuteronômio 1.2, Moisés assinala aos israelitas que era apenas uma jornada de onze dias até a fronteira de Canaã (a Terra Prometida), entretanto eles levaram quarenta anos para chegar lá. Então, no versículo 6, ele lhes disse: "O Senhor, nosso Deus, nos falou em Horebe, dizendo: 'Tempo bastante haveis estado neste monte'".

Você tem estado por muito tempo no mesmo monte? Você gastou quarenta anos tentando fazer uma viagem de onze dias?

Na minha própria vida tive de, finalmente, acordar e perceber que não estava indo a lugar nenhum. Eu era uma cristã sem vitória. Como Maria e João, eu tinha muitas opiniões erradas já formadas e muitas fortalezas mentais que haviam sido construídas ao longo de anos e anos. O diabo havia mentido para mim, e eu acreditei nele. Portanto, vivi em engano.

Eu tinha estado na mesma montanha por muito tempo. Gastei quarenta anos fazendo o que poderia ter sido uma jornada bem mais curta se eu soubesse a verdade sobre a Palavra de Deus.

Deus me mostrou que os israelitas ficaram no deserto porque eles tinham uma "mentalidade desértica" – maneira de pensar errada que os mantinha em escravidão. Vamos tratar desse assunto em um capítulo à frente, mas, agora, recomendo-lhe com insistência que

Não Desista!

faça uma decisão excelente de que terá a sua mente renovada e aprenderá a escolher seus pensamentos cuidadosamente. Tome uma decisão de que você não desistirá até que a vitória seja completa e você tenha tomado posse de sua herança legítima.

Capítulo 4

Pouco a Pouco

> O Senhor, teu Deus, lançará fora estas nações, pouco a pouco,
> de diante de ti; não poderás destruí-las todas de pronto,
> para que as feras do campo se não multipliquem contra ti.
>
> DEUTERONÔMIO 7.22

A renovação de sua mente acontecerá pouco a pouco, mas não desanime se o progresso lhe parecer lento.

Imediatamente antes de entrarem na Terra Prometida, o Senhor disse aos israelitas que ele lançaria fora seus inimigos pouco a pouco, para que "as bestas do campo" não se multiplicassem contra eles.

Creio que o orgulho é a "besta" que nos consumirá se recebermos muita liberdade rapidamente. Na verdade, é melhor ser liberto em uma área de cada vez. Dessa forma, valorizamos mais nossa liberdade; percebemos que é um verdadeiro presente de Deus, e não alguma coisa que podemos conseguir por nosso esforço próprio.

Capítulo 4

O SOFRIMENTO PRECEDE A LIBERTAÇÃO

Ora, o Deus de toda a graça, que em Cristo vos chamou à sua [própria e] eterna glória, depois de terdes sofrido por um pouco, ele mesmo vos há de aperfeiçoar [completar e fazer de vós o que vós devíeis ser], firmar, fortificar e fundamentar.

1 PEDRO 5.10

Por que precisamos sofrer "por certo tempo?" Creio que desde o momento em que percebemos que temos um problema até que Jesus nos liberte, suportamos um tipo de sofrimento, mas nos regozijamos ainda mais quando a liberdade vem. Quando tentamos fazer alguma coisa por conta própria, falhamos e, então, percebemos que devemos esperar em Deus. Nosso coração transborda com ações de graças e louvor quando Ele se levanta e faz o que não podemos fazer por nós mesmos.

NENHUMA CONDENAÇÃO

Agora, pois, já nenhuma condenação há para os que estão em Cristo Jesus... [que vivem e caminham não conforme os ditames da carne, mas conforme os ditames do Espírito].

ROMANOS 8.1

Não aceite condenação quando você tiver reveses ou dias maus. Simplesmente consiga suporte, sacuda a poeira e comece de novo. Quando um bebê está aprendendo a caminhar, ele cai muito, muitas vezes antes de desfrutar a confiança de caminhar. Entretanto, uma coisa a favor do bebê é o fato de que, mesmo que ele chore um pouco depois de cair, sempre se levanta em seguida e tenta de novo.

O diabo tentará, de forma muito dura, pará-lo nesta área de renovação da mente. Ele sabe que o controle dele sobre você termina quando você aprende a escolher os pensamentos corretos e a rejeitar os errados. Ele tentará pará-lo por meio do desânimo e condenação.

Quando a condenação vier, use sua "arma da Palavra". Cite Romanos 8.1, lembrando a Satanás e a você mesmo que você não anda segundo a carne, mas segundo o Espírito. Caminhar segundo a carne é depender de você mesmo; caminhar segundo o Espírito é depender de Deus.

Quando falhar (o que vai acontecer), isso não significa que você é um fracasso. Significa simplesmente que você não faz tudo certo. Nós todos temos de aceitar o fato de que temos pontos fortes e pontos fracos. Apenas deixe Jesus Cristo ser forte em suas fraquezas; deixe-O ser sua força nos dias fracos.

Repito: *não aceite a condenação*. Sua vitória total virá, mas tomará tempo, porque ela precisa vir "pouco a pouco".

NÃO DESANIME

Por que estás abatida, ó minha alma? Por que te perturbas dentro de mim [e te lamentas]? Espera em Deus [espera nele esperançosamente], pois ainda o louvarei, a ele, meu auxílio e Deus meu.

SALMO 42.5

O desânimo destrói a esperança, então, naturalmente, o diabo sempre tenta nos desanimar. Sem esperança, desistimos, e é isso que o diabo quer que façamos. A Bíblia nos diz repetidamente para não ficarmos desanimados nem desalentados. Deus sabe que não chegaremos à vitória se ficarmos desanimados, então Ele sempre nos encoraja quando iniciamos um projeto, dizendo-nos: "Não fique desanimado". Deus nos quer animados, não desanimados.

Quando o desânimo ou a condenação tentarem atingi-lo, examine sua forma de pensar. Que tipos de pensamentos lhe têm vindo à mente? Eles se parecem com isso?

"Não vou conseguir; é muito difícil. Eu sempre fracasso, é sempre a mesma coisa, nada jamais muda. Tenho certeza de que outras pessoas não têm tanto problema em ter a mente renovada. Bem que posso desistir. Estou cansado de tentar. Oro, mas parece que Deus não me ouve. Ele, provavelmente, não responde às minhas orações porque está muito desapontado com a minha maneira de agir."

Se esse exemplo representa seus pensamentos, não é de admirar que você se encontre desanimado e debaixo de condenação. Lembre-se: você se torna aquilo que você pensa. Tenha pensamentos desanimadores e ficará desanimado. Tenha pensamentos condenatórios e ficará debaixo de condenação. Mude sua maneira de pensar e seja liberto!

Em vez de pensar negativamente, pense assim: "Bem, as coisas estão indo meio devagar; mas, graças a Deus, estou fazendo algum progresso. Tive um dia pesado ontem. Escolhi a forma errada de pensar o dia todo. Pai, perdoa-me e ajuda-me a 'continuar continuando'. Cometi um erro, mas pelo menos esse é um erro que não tenho de cometer de novo. Hoje é um novo dia. Tu me amas, Senhor. A tua misericórdia é nova cada manhã.

"Eu me recuso a ficar desanimado. Eu me recuso a me sentir condenado. Pai, a Bíblia diz que tu não me condenas. Tu mandaste Jesus para morrer por mim. Vou ficar bem – hoje será um dia maravilhoso. Tu me ajudas a escolher os pensamentos corretos hoje."

Estou certa de que você já pode sentir a vitória nesse tipo de forma alegre, positiva e divina de pensar.

Queremos tudo instantaneamente. Temos o fruto da impaciência dentro de nós, mas ele está sendo trabalhado a partir do nosso exterior. Algumas vezes Deus faz as coisas vagarosamente no que diz respeito a nos trazer libertação total. Ele usa o difícil período da espera para aumentar a nossa fé e permitir que a paciência realize seu trabalho perfeito (Tiago 1.4). O tempo de Deus é perfeito. Ele nunca está atrasado.

Aqui está outro bom pensamento: "Creio em Deus. Creio que ele está trabalhando em mim independentemente de como eu possa me sentir ou de como a situação possa parecer. O Senhor começou uma boa obra em mim e ele a levará a bom termo." (Filipenses 1.6; 2.13.)

É dessa forma que você pode efetivamente usar a sua arma da Palavra para destruir fortalezas. Recomendo-lhe que não apenas pense corretamente de propósito, mas também que você caminhe a milha extra e os repita em voz alta como sua confissão.

Lembre-se de Deus o está libertando pouco a pouco; então, não se sinta desanimado e condenado se cometer um erro.

Seja paciente com você mesmo!

Capítulo 5

Seja Positivo

Seja feito conforme a tua fé ...
MATEUS 8.13

Mentes positivas produzem vidas positivas. Mentes negativas produzem vidas negativas. Pensamentos positivos são sempre cheios de fé e de esperança. Pensamentos negativos são sempre cheios de medo e dúvida.

Algumas pessoas têm medo de ter esperança porque elas foram muito machucadas na vida. Elas tiveram tantos desapontamentos que não acham que podem enfrentar a dor de mais um. Portanto, elas se recusam a ter esperança para não serem desapontadas. Evitar ter esperança é um tipo de proteção contra a possibilidade de ser machucado. O desapontamento machuca! Então, em vez de serem feridas outra vez, muitas pessoas simplesmente se recusam a ter esperança ou a acreditar que qualquer coisa boa jamais lhes acontecerá. Esse tipo de comportamento estabelece um estilo de vida negativo. Lembre-se de Provérbios 23.7: *Pois como ela (uma pessoa) pensa em seu coração, assim ela é...*

Muitos anos atrás eu era extremamente negativa. Sempre digo que se tivesse dois pensamentos positivos sucessivamente minha mente teria cãibras. Minha filosofia era esta: "Se você não esperar que nada de bom aconteça, então você não ficará desapontada quando não acontecer".

Eu tinha encontrado tantos desapontamentos em minha vida – tantas coisas devastadoras haviam acontecido comigo – que tinha medo de acreditar que alguma coisa boa poderia acontecer. Eu tinha uma perspectiva terrível e negativa de tudo. Como meus pensamentos eram todos negativos, minha boca também era e, portanto, minha vida também.

Quando realmente comecei a estudar a Palavra e a confiar em Deus para me restaurar, uma das primeiras coisas que percebi foi que o negativismo tinha de desaparecer.

Em Mateus 8.13 Jesus nos diz que nos será feito de acordo com a nossa fé. A Versão King James diz: ... *e seja feito conforme a tua fé...* Tudo aquilo em que eu acreditava era negativo, então, naturalmente, muitas coisas negativas aconteciam comigo.

Isso não significa que podemos conseguir qualquer coisa que queiramos apenas por pensar nela. Deus tem um plano perfeito para cada um de nós, e não podemos controlá-lo com nossos pensamentos e palavras. Mas devemos pensar e falar de acordo com o desejo e o plano dEle para nós.

Se você não tem idéia alguma sobre qual seja o plano de Deus para você neste momento, pelo menos comece a pensar: "Bem, não sei qual é o plano de Deus, mas sei que ele me ama. Seja o que for que ele fizer, será bom e serei abençoado".

Comece a pensar positivamente sobre sua vida. Pratique ser positivo em qualquer situação que surgir. Mesmo que qualquer coisa que esteja acontecendo em sua vida neste momento não seja boa, espere que Deus trará o bem proveniente dela, como ele prometeu em sua Palavra.

Seja Positivo

TODAS AS COISAS COOPERAM COM DEUS

 [É-nos assegurado e] sabemos que [tendo Deus como parceiro em suas ações] todas as coisas cooperam [e se enquadram em um plano] para o bem daqueles que amam a Deus, daqueles que são chamados segundo o seu [planejamento e] propósito.

ROMANOS 8.28

Esse versículo não diz que todas as coisas são boas, mas com certeza diz que todas as coisas *cooperam para o bem*.

Vamos dizer que você está planejando ir fazer compras. Você entra no carro e ele não funciona. Há duas maneiras de você olhar para essa situação. Você pode dizer: "Eu sabia! Nunca falha. Toda vez que quero fazer alguma coisa algo errado acontece. Eu tinha mesmo imaginado que esta ida às compras acabaria em fiasco; isso sempre acontece com meus planos". Ou você pode dizer: "Bem, eu queria ir fazer compras, mas parece que não vai ser agora. Vou mais tarde, quando o carro estiver pronto. Nesse meio tempo, acredito que essa mudança nos planos vai funcionar para o meu bem. Provavelmente há uma razão por que preciso estar em casa hoje, então vou aproveitar meu tempo aqui".

Em Romanos 12.16, o apóstolo Paulo nos diz para nos ajustarmos prontamente às pessoas e às coisas. A idéia é que precisamos aprender a nos tornar o tipo de pessoa que planeja as coisas, mas que não desmorona se o plano não funciona.

Recentemente, tive excelente oportunidade de praticar esse princípio. Dave e eu estávamos em Lake Worth, na Flórida. Estivemos ministrando lá por três dias e estávamos fazendo as malas e nos arrumando para ir embora. Eu tinha planejado usar uma calça e uma blusa com sapatos baixos, pois assim eu estaria confortável durante a viagem de regresso.

Comecei a me vestir e não encontrei minha calça. Verificamos tudo e, no fim, encontramos a calça no fundo do closet. Ela tinha escorregado do cabide e estava terrivelmente amassada. Sempre carregamos um ferro a vapor conosco, então tentei tirar o amassado com vapor. Vesti a roupa e vi que não estava parecendo boa. Minha única escolha, então, era um vestido e saltos altos.

Eu podia sentir minhas emoções descontroladas com a situação. Veja você, toda vez que não conseguimos o que queremos, nossos sentimentos se rebelam e tentam nos colocar em uma atitude negativa e de autopiedade. Reconheci imediatamente que eu tinha de fazer uma escolha. Eu poderia ficar irritada porque as coisas não tinham saído do jeito que eu queria, ou poderia me ajustar à situação, ir em frente e aproveitar a viagem para casa.

Mesmo uma pessoa realmente positiva não terá tudo funcionando do jeito que ela gostaria o tempo todo. Mas a pessoa positiva pode ir em frente e ter prazer independentemente do que acontecer. A pessoa negativa nunca desfruta nada.

Não é divertido estar com uma pessoa negativa. Ela traz nuvens escuras para cada projeto. Há um "peso" em volta dela. Ela é reclamona, murmuradora e só enxerga defeitos. Não importa como as coisas estejam caminhando, ela sempre parece descobrir a única coisa que poderia ser um problema em potencial.

Quando eu estava em meus dias de extremo negativismo, poderia ir a uma casa que tinha acabado de ser redecorada e, em vez de ver e comentar sobre todas as coisas bonitas, eu enxergaria um canto do papel de parede que estava solto ou uma mancha na vidraça.

Estou tão feliz porque Jesus me libertou para desfrutar as coisas boas da vida! Estou livre para acreditar que, com fé e esperança nEle, as coisas ruins podem se transformar em boas.

Se você é uma pessoa negativa, *não se sinta condenado!* A condenação é negativa. Estou compartilhando estas coisas para que você possa reconhecer seu problema em ser negativo e começar a confiar em Deus para restaurá-lo, não para torná-lo negativo sobre o seu negativismo.

O caminho da liberdade começa quando encaramos o problema sem arranjar desculpas para ele. Estou certo de que se você é uma pessoa negativa há uma razão para isso — sempre há. Mas lembre-se: como cristão, de acordo com a Bíblia, você é uma nova pessoa agora.

UM NOVO DIA!

E, assim, se alguém está [integrado] em Cristo [o Messias], é nova criatura [em todos os aspectos]; as coisas antigas [a condição moral e espiritual anterior] já passaram; eis que se fizeram novas [e frescas].

2 Coríntios 5.17

Como "nova criatura", você não precisa permitir que as coisas velhas que aconteceram com você continuem afetando sua nova vida em Cristo. Você é uma nova criatura com uma vida nova em Cristo. Você pode ter sua mente renovada de acordo com a Palavra de Deus. Coisas boas vão acontecer com você.

Regozije-se! É um novo dia!

O TRABALHO DO ESPÍRITO SANTO

Mas eu vos digo [nada exceto a] a verdade [quando digo que é proveitoso (bom, conveniente e vantajoso) que eu vá]: convém-vos que eu vá, porque, se eu não for, o Consolador [Conselheiro, Ajudador, Advogado, Intercessor, Fortalecedor, Companheiro] não virá para vós outros [em comunhão íntima convosco]; se, porém, eu for, eu vo-lo enviarei [para estar em comunhão íntima convosco]. Quando ele vier, convencerá o mundo do pecado, da justiça [e lhe demonstrará o pecado e a justiça (retidão de coração e condição correta com Deus)] e do juízo.

João 16.7,8

Capítulo 5

A parte mais difícil de se libertar do negativismo é encarando a verdade e dizendo: "Sou uma pessoa negativa mas quero mudar. Não posso mudar a mim mesmo, mas acredito que Deus irá me transformar à medida que eu confiar nEle. Sei que tomará tempo e não vou me sentir desanimado comigo mesmo. *Deus começou boa obra em mim e ele é capaz de completá-la*" (Filipenses 1.6).

Peça ao Espírito Santo para chamar sua atenção cada vez que você começar a ficar negativo. Isso é parte do trabalho dEle. João 16.7-8 nos ensina que o Espírito Santo nos convencerá da justiça. Quando a convicção vier, peça a Deus que o ajude. Não pense que você pode lidar com ela sozinho. Apóie-se em Deus.

Embora fosse extremamente negativa, Deus me permitiu saber que, se eu confiasse nEle, ele ira me tornar muito positiva. Eu estava passando maus bocados tentando manter minha mente em um padrão negativo. Agora não posso aguentar o negativismo. É como uma pessoa que fuma. Muitas vezes um fumante que deixou de fumar não tem tolerância alguma com cigarros. Eu sou assim. Eu fumei por vários anos, mas, depois que parei, não posso nem mesmo suportar o cheiro do cigarro.

Tenho a mesma reação sobre ser negativa. Eu era uma pessoa muito negativa. Agora não consigo suportar o negativismo de jeito nenhum; é quase ofensivo para mim. Acho que como tenho visto tantas mudanças positivas em minha vida desde que fui liberta de uma mente negativa, agora eu me oponho a qualquer coisa negativa.

Enfrento a realidade e o encorajo a fazer o mesmo. Se você está doente, não diga "Eu não estou doente", porque isso não é verdade; mas você pode dizer: "Creio que Deus está me curando". Você não precisa dizer: "Provavelmente vou piorar e acabar no hospital"; em vez disso, você pode dizer: "O poder curador de Deus está trabalhando em mim neste exato momento; creio que ficarei bem".

Tudo deve ser equilibrado. Isso não significa temperar seu positivismo com um pouco de negativismo, mas significa ter uma "mente pronta" para lidar com o que quer que lhe aconteça, seja isso positivo ou negativo.

UMA MENTE PRONTA

Ora, estes de Beréia eram mais nobres que os de Tessalônica; pois receberam a palavra com toda a avidez, examinando as Escrituras todos os dias para ver se as coisas eram, de fato, assim.

ATOS 17.11

A Bíblia diz que devemos ter uma mente pronta. Isso significa que devemos ter a mente aberta para a vontade de Deus, seja ela qual for.

Por exemplo, recentemente, uma jovem senhora, minha conhecida, experimentou a tristeza de um noivado desfeito. Ela e o rapaz estavam orando sobre se o Senhor desejava ou não que eles continuassem a namorar, embora eles tivessem decidido não se casar naquela época. A moça queria que o relacionamento continuasse e estava pensando, esperando e acreditando que seu ex-noivo a procuraria e iria se sentir da mesma forma.

Eu a aconselhei a ter uma "mente pronta" caso as coisas não saíssem desse jeito. Ela disse: "Bem, isso não é ser negativa"?

Não, não é!

Negativismo seria pensar: "Minha vida está acabada; ninguém jamais me quererá. Eu fracassei, agora serei infeliz para sempre!"

Ser positivo seria dizer: "Estou realmente triste porque isso aconteceu, mas vou confiar em Deus. Espero que meu namorado e eu possamos ainda namorar. Vou crer que nosso relacionamento será restaurado; mas mais do que qualquer coisa, quero a perfeita vontade de Deus. Se as coisas não acontecerem da maneira como quero, vou sobreviver, porque Jesus vive em mim. Pode ser que seja difícil durante algum tempo, mas creio no Senhor. Creio que no final tudo cooperará para o melhor".

Isso é enfrentar os fatos, tendo uma mente pronta e ainda sendo positivo.

Isso é equilíbrio.

A FORÇA DA ESPERANÇA

Abraão, esperando contra a esperança [porque para ele a razão humana era contra a esperança], creu [esperou com fé], para vir a ser pai de muitas nações, segundo lhe fora dito: Assim será a tua descendência [inumerável]. E, sem enfraquecer na fé, embora levasse em conta o seu próprio corpo amortecido [inteiramente impotente, como se estivesse morto], sendo já de cem anos, e [considerando] a idade avançada de Sara, não duvidou, por incredulidade, da promessa de Deus; mas, pela fé, se fortaleceu [e foi cheio de poder pela fé, louvando e] dando glória a Deus.

ROMANOS 4.18-20

Dave e eu acreditamos que o nosso ministério no Corpo de Cristo vai crescer todo ano. Sempre queremos ajudar mais pessoas. Mas também percebemos que, se Deus tiver um plano diferente e se chegarmos ao final do ano sem nenhum crescimento (da mesma forma que começamos), não poderemos permitir que a situação controle nossa alegria.

Cremos *por* muitos motivos, mas, acima de todos eles, cremos *em* Alguém. Esse Alguém é Jesus. Nem sempre sabemos o que vai acontecer. Apenas sabemos que vai sempre cooperar para o nosso bem!

Quanto mais positivos eu e você nos tornamos, mais estaremos no fluir de Deus. Deus é certamente positivo e para fluir com Ele nós também devemos ser positivos.

Seja Positivo

Você pode estar passando por circunstâncias realmente adversas. Você pode estar pensando: "Joyce, se você conhecesse a minha situação, você não esperaria que eu fosse positivo".

Eu o encorajo a reler Romanos 4.18-20, onde é relatado que Abraão, depois de ter analisado sua situação (ele não ignorava os fatos), considerou (embora apenas brevemente) a completa impotência do seu corpo e a esterilidade do útero envelhecido de Sara. Embora toda a razão humana para esperança tivesse se acabado, ele esperou em fé.

Abraão foi muito positivo sobre uma situação muito negativa!

Hebreus 6.19 nos diz que a esperança é a âncora da alma. A esperança é a força que nos mantém firmes em um tempo de provação. Jamais pare de ter esperança. Se você fizer isso, você terá uma vida miserável. Se você já está tendo uma vida miserável porque você não tem esperança, comece a ter esperança. Não tenha medo. Não posso lhe prometer que as coisas acontecerão exatamente da forma que você quer que aconteçam. Não posso lhe prometer que você jamais se desapontará. Mas, mesmo em tempos de desapontamento, se eles vierem, você pode esperar e ser positivo. Coloque-se no reino miraculoso de Deus.

Espere um milagre em sua vida.

Espere coisas boas!

ESPERE RECEBER! PARA RECEBER, ESPERE!

Por isso, o Senhor [zelosamente] espera [tendo expectativa, procurando e desejando muito] para ter misericórdia de vós, e [portanto] se detém, para se compadecer de vós [e vos mostrar sua bondade amorosa], porque o Senhor é Deus de justiça; bem-aventurados [felizes, afortunados, invejáveis são] todos os que nele esperam [que têm expectativa e o procuram e o desejam e desejam sua vitória, seu favor, seu amor, sua paz, sua alegria e sua companhia incomparável e contínua]!

Isaías 30.18

Esse versículo tornou-se uma das minhas passagens bíblicas favoritas. Se você meditar nEle, ele começará a trazer grande esperança. Nele, Deus está dizendo que ele está procurando alguém com quem ser gracioso (bom), mas não pode ser alguém mal-humorado e de mente negativa. Deve ser alguém que tenha expectativa (procurando e desejando que Deus seja bom com ele).

PRESSENTIMENTOS MALIGNOS

O que são "pressentimentos malignos"?

Pouco tempo depois que comecei a estudar a Palavra de Deus, estava escovando o cabelo uma manhã no banheiro, quando percebi que no ambiente ao meu redor havia uma sensação vaga, ameaçadora; alguma coisa ruim iria acontecer. Conscientizei-me de que, na verdade, eu tinha tido essa sensação comigo a maior parte do tempo.

Perguntei ao Senhor: "Que sensação é essa que eu sempre tenho"?

"Pressentimentos malignos", Ele respondeu.

Eu não sabia o que aquilo significava, nem jamais havia ouvido a respeito. Logo depois disso, encontrei a frase em Provérbios 15.15: *Todos os dias do aflito [e desalentado] são maus [por causa de pensamentos ansiosos e maus pressentimentos], mas a alegria do coração é banquete contínuo [independente das circunstâncias].*

Percebi, naquele momento, que a maior parte da minha vida tinha sido infeliz por causa de pensamentos e pressentimentos malignos. Sim, tive circunstâncias que foram muito difíceis, mas, mesmo quando não as tinha, ainda assim estava infeliz porque meus pensamentos estavam envenenando minha perspectiva e me roubando a habilidade de desfrutar a vida e ver bons dias.

GUARDE SUA LÍNGUA DO MAL

> *Pois quem quer amar a vida e ver dias felizes [felizes — seja isso claro ou não] refreie a língua do mal e evite que os seus lábios falem dolosamente [traiçoeira e enganosamente].*
>
> 1 Pedro 3.10

Esse verso diz-nos claramente que desfrutar a vida, ver dias felizes e ter mente e boca positivas são situações interligadas.

Não importa quão negativo você seja ou por quanto tempo você tem sido assim; sei que você pode mudar, porque eu mudei. Custou-me tempo e muita ajuda do Espírito Santo, mas valeu a pena.

Valerá a pena para você também.

Aconteça o que acontecer, confie no Senhor — e seja positivo!

Capítulo 6

Espíritos Aprisionadores da Mente

> Não andeis ansiosos de coisa alguma; em tudo, porém, sejam conhecidas, diante de Deus, as vossas petições, pela oração e pela súplica, com ações de graças. E a paz de Deus, que excede todo o entendimento, guardará o vosso coração e a vossa mente em Cristo Jesus.
>
> FILIPENSES 4.6-7

Na minha caminhada com Deus, certa vez, estava achando difícil acreditar em algumas coisas. Eu não entendia o que estava errado comigo e, como consequência disso, fiquei confusa. A descrença parecia estar crescendo a grande velocidade. Comecei a questionar meu chamado; pensei que estava perdendo a visão que Deus me havia dado para o ministério. Eu estava infeliz (a descrença produz infelicidade).

Por dois dias consecutivos ouvi esta frase vindo do meu espírito: *espíritos aprisionadores da mente*. No primeiro dia, não pensei muito sobre isso. Entretanto, no segundo dia, quando comecei o momento de intercessão, ouvi pela quarta ou pela quinta vez: *espíritos aprisionadores da mente*.

Eu sabia, por causa de todas as pessoas a quem eu havia ministrado, que multidões de crentes têm problemas com a mente. Pensei que o Espírito estava me direcionando para orar pelo Corpo de Cristo contra um espírito chamado "Aprisionador da Mente". Então, comecei a orar e a interceder contra espíritos aprisionadores da mente em nome de Jesus. Depois de apenas poucos minutos de oração, senti uma tremenda libertação vir à minha própria mente. Foi muito dramático.

LIBERTA DOS ESPÍRITOS APRISIONADORES DA MENTE

Quase toda libertação que Deus me tem dado tem sido progressiva e aconteceu por meio da crença e confissão da Palavra de Deus. João 8.31-32 e Salmos 107.20 são o meu testemunho. Em João 8.31-32 Jesus diz: ...*Se vós permanecerdes* (continuardes) *na minha palavra, sois verdadeiramente meus discípulos; e conhecereis a verdade, e a verdade vos libertará.* Salmos 107.20 diz sobre o Senhor: *Enviou-lhes a sua palavra, e os sarou, e os livrou do que lhes era mortal.*

Mas desta vez eu sentia e sabia imediatamente que alguma coisa havia acontecido na minha mente. Dentro de minutos eu era capaz de acreditar outra vez em áreas com as quais tinha estado lutando minutos antes do meu momento de oração.

Vou lhe dar um exemplo. Antes de ter sido atacada por demônios aprisionadores da mente, eu acreditava que, de acordo com a Palavra de Deus, o fato de que eu era uma mulher de Fenton, Missouri, a quem ninguém conhecia, não faria nenhuma diferença em minha vida ou ministério (Gálatas 3.28). Quando Deus estivesse pronto, ele abriria portas que ninguém poderia fechar (Apocalipse 3.8), e eu pregaria por todo o mundo as mensagens práticas, libertadoras que ele havia me dado.

Eu acreditava que teria o privilégio de compartilhar o Evangelho com toda a nação pelo rádio (não por causa de mim, mas a despeito de mim). Eu sabia que, de acordo com as Escrituras, Deus escolhe as coisas fracas e tolas para confundir os sábios (1 Coríntios 1.27). Eu acreditava que o Senhor iria me usar para curar os doentes. Eu acreditava que nossos filhos seriam usados no ministério. Eu acreditava toda sorte de coisas maravilhosas que Deus havia colocado em meu coração.

Entretanto, quando os espíritos aprisionadores da mente me atacaram, eu não conseguia parecer acreditar em muita coisa. Eu pensava coisas do tipo: "Bem, eu provavelmente inventei tudo aquilo. Eu só acreditei porque queria, mas isso, provavelmente, jamais acontecerá". Mas, quando os espíritos foram embora, a habilidade para crer veio correndo de volta.

DECIDA ACREDITAR

Também o Espírito [Santo], semelhantemente, nos assiste em nossa fraqueza; porque não sabemos orar como convém [não sabemos que oração oferecer, nem como oferecê-la de forma válida], mas o mesmo Espírito [recebe a nossa súplica e] intercede por nós sobremaneira, com gemidos inexprimíveis [muito profundos].

ROMANOS 8.26

Como cristãos, precisamos aprender a *decidir* acreditar. Deus, frequentemente, nos dá fé (um produto do Espírito) com relação a coisas com as quais nossas mentes simplesmente podem nem sempre parecer estar de acordo. A mente quer entender – o porquê, o quando e o como de tudo. Frequentemente, quando esse entendimento não é dado por Deus, a mente se recusa a acreditar naquilo que ela não entende.

Às vezes acontece de um crente *saber* alguma coisa em seu coração (seu homem interior), mas sua mente lutar contra isso.

Eu tinha decidido muito antes acreditar no que a Palavra diz e acreditar na *rhema* (a Palavra revelada) que Deus me deu (as coisas que ele me falou ou as promessas que ele me fez pessoalmente), mesmo que eu não entendesse por que, quando ou como isso aconteceria em minha vida.

Mas essa coisa com a qual eu estava lutando era diferente; estava além da decisão. Eu estava amarrada por esses espíritos aprisionadores da mente e simplesmente não conseguia fazer nada para acreditar.

Graças a Deus que por intermédio do Espírito Santo ele me mostrou como orar, e seu poder prevaleceu, muito embora eu não soubesse que estava orando por mim mesma quando comecei.

Tenho certeza de que você está lendo este livro neste momento porque foi direcionado a isso. Você também pode estar tendo problemas nessa área. Se for assim, eu o encorajo a orar no nome de Jesus. Pelo poder do seu sangue, coloque-se contra os "espíritos aprisionadores da mente". Ore dessa forma não apenas uma vez, mas sempre que você tiver dificuldade nessa área.

O diabo jamais esgota seu estoque de dardos inflamados para jogar contra nós quando estamos tentando caminhar em frente. Levante seu escudo da fé e lembre-se de Tiago 1.2-8, que nos ensina que podemos pedir sabedoria a Deus nas provações e ele nos dará e nos mostrará o que fazer.

Eu tinha um problema, um dardo inflamado que não tinha encontrado antes. Mas Deus me mostrou como orar e fui liberta.

Você será também.

Capítulo 7

Pense Sobre o que Você Está Pensando

*Meditarei nos teus preceitos e às tuas veredas
[os caminhos da vida marcados pela tua Lei] terei respeito.*

SALMO 119.15

A Palavra de Deus nos ensina sobre o que deveríamos gastar nosso tempo pensando.

O salmista disse que ele pensava ou meditava nos preceitos de Deus. Isso significa que ele passou muito tempo ponderando e pensando sobre os caminhos de Deus, suas instruções e seus ensinamentos. No Salmo 1.3 está escrito que a pessoa que faz assim ... *é como árvore [firmemente] plantada [e cuidada] junto a corrente de águas, que, no devido tempo, dá o seu fruto, e cuja folhagem não murcha; e tudo quanto ele faz será bem sucedido [alcançará a maturidade].*

É muito benéfico pensar sobre a Palavra de Deus. Quanto mais tempo uma pessoa gasta meditando na Palavra, mais ela colherá da Palavra.

Capítulo 7

TENHA CUIDADO COM O QUE VOCÊ PENSA

Então, lhes disse: Atentai no que ouvis. Com a medida [de pensamento e estudo] com que tiverdes medido [a verdade que você ouve], vos medirão também [vossa virtude e conhecimento], e ainda se vos acrescentará [a vós que ouvis].

MARCOS 4.24

Que grande versículo! Ele nos diz que quanto mais tempo gastarmos meditando na Palavra que lemos e ouvimos, mais poder e habilidade teremos para fazê-lo — mais revelação teremos sobre o que temos lido ou ouvido. Basicamente, isso nos diz que obteremos da Palavra de Deus aquilo que investirmos nela.

Note especialmente a promessa de que, quanto mais reflexão e estudo devotarmos à Palavra, mais virtude e conhecimento voltarão para nós.

O *Dicionário Expositivo das Palavras do Novo Testamento*, de Vine, diz que, em certas passagens da *Versão King James* da Bíblia, a palavra grega *dunamis*, que significa "poder", é traduzida como "virtude"[1]. De acordo com a *Nova Concordância Exaustiva da Bíblia*, de Strong, outra tradução de *dunamis* é "habilidade"[2]. A maioria das pessoas não investiga a Palavra profundamente. Como resultado, ficam confusas sobre o porquê de não serem cristãos poderosos, vivendo vida vitoriosa.

A verdade é que a maioria delas realmente não coloca muito esforço pessoal no estudo da Palavra. As pessoas podem sair e ouvir outros ensinarem e pregarem a Palavra. Podem escutar os sermões gravados ou ler a Bíblia ocasionalmente, mas, na verdade, não se dedicam a fazer da Palavra a maior parte da vida, incluindo gastar tempo meditando nela.

A carne é basicamente preguiçosa, e muitas pessoas querem conseguir alguma coisa por nada (sem esforço); entretanto, essa não é realmente a forma como as coisas funcionam. Vou dizer outra vez: uma pessoa obterá da Palavra aquilo que está pronta para investir nela.

MEDITE NA PALAVRA

Bem-aventurado (feliz, afortunado, próspero e invejável) é o homem que não anda [nem vive] no conselho dos ímpios [seguindo seus conselhos, seus planos e seus propósitos], não se detém [submisso e inativo] no caminho dos pecadores, nem se assenta [para relaxar e descansar] na roda dos escarnecedores [e zombadores]. Antes, o seu prazer [e deleite] está na lei do Senhor, e na sua lei [nos preceitos, nas instruções, nos ensinamentos de Deus] medita [reflete e estuda] de dia e de noite [habitualmente].

SALMO 1.1-2

De acordo com o dicionário *Webster*, a palavra *meditar* significa "1. refletir sobre: ponderar. 2. Planejar ou pretender na mente... Entregar-se à contemplação."[3] O *Dicionário Expositivo das Palavras do Novo Testamento*, de Vine, diz que *meditar* significa "... primeiramente, ser cuidadoso com..., aplicar-se a, praticar..., ser diligente..., praticar no sentido principal da palavra..., ponderar..., imaginar..., premeditar".[4]

Provérbios 4.20 diz, *Filho meu, atenta para as minhas palavras; aos meus ensinamentos inclina os ouvidos [concorde com e submeta-se aos meus ensinamentos].* Se pusermos Provérbios 4.20 juntamente com essas definições da palavra "meditar", veremos que nós nos aplicamos à Palavra de Deus meditando nela, refletindo sobre ela, estudando-a, repetindo-a ou praticando-a em nossa mente. A idéia básica é que, se queremos fazer o que a Palavra de Deus diz, devemos gastar tempo pensando nela.

Lembra-se do antigo provérbio "A prática produz perfeição"? Realmente não esperamos ser especialistas em qualquer coisa na vida sem muita prática, então por que esperaríamos que o cristianismo fosse diferente?

A MEDITAÇÃO PRODUZ SUCESSO

Não cesses de falar deste Livro da Lei; antes, medita nele dia e noite, para que tenhas cuidado de [observar e] fazer segundo tudo quanto nele está escrito; então, farás prosperar o teu caminho [e então agirás sabiamente] e serás bem-sucedido.

Josué 1.8

Se você quer ser um sucesso e prosperar em todos os seus procedimentos, a Bíblia diz que você precisa meditar na Palavra de Deus dia e de noite.

Quanto tempo você gasta meditando na Palavra de Deus? Se você está tendo problemas em qualquer área da sua vida, uma resposta honesta para essa pergunta pode revelar a razão disso.

Na maior parte da minha vida eu não pensava sobre o que estava meditando. Simplesmente pensava em qualquer coisa que me viesse à cabeça. Eu não tinha nenhuma revelação de que Satanás poderia injetar pensamentos em minha mente. Muito do que estava em minha cabeça era ou mentiras que Satanás estava me dizendo, ou pura bobagem – coisas nas quais não valia a pena gastar meu tempo pensando. O diabo estava controlando minha vida porque ele estava controlando meus pensamentos.

PENSE SOBRE O QUE VOCÊ ESTÁ PENSANDO!

Entre os quais também todos nós andamos [vivemos] outrora, segundo as inclinações da nossa carne [do nosso comportamento governado pela natureza corrupta e sensual], fazendo a vontade [e obedecendo aos impulsos] da carne e dos pensamentos...

Efésios 2.3

Paulo nos adverte aqui que não devemos ser governados pela nossa natureza sensual nem obedecer aos impulsos da nossa carne, os pensamentos da nossa mente carnal.

Embora eu fosse uma cristã, estava tendo problemas porque eu não tinha aprendido a controlar meus pensamentos. Eu pensava sobre coisas que mantinham minha mente ocupada, mas elas não eram produtivas positivamente.

Eu precisava mudar minha forma de pensar!

Uma coisa que o Senhor me disse quando ele começou a me ensinar sobre o campo de batalha da mente tornou-se um ponto decisivo importante. Ele disse: "Pense no que você está pensando agora". Depois que comecei a fazer isso, não demorou muito tempo para que começasse a perceber por que eu estava tendo tanto problema em minha vida.

Minha mente estava uma bagunça!

Eu estava pensando todas as coisas erradas.

Eu ia à igreja – e havia feito isso por anos –, mas, na realidade, jamais pensava sobre o que ouvia. Entrava por um ouvido e saía pelo outro, por assim dizer. Eu lia algumas passagens da Bíblia todo dia, mas nunca pensava sobre o que eu estava lendo. Eu não estava me aplicando à Palavra. Eu não estava pensando no que eu estava ouvindo nem estudando. Portanto, nenhuma virtude ou conhecimento me voltava à memória.

MEDITE NAS OBRAS DE DEUS

Pensamos, ó Deus, na tua misericórdia no meio do teu templo.

Salmo 48.9

O salmista Davi falava frequentemente a respeito da meditação em todas as obras maravilhosas do Senhor – os poderosos atos de Deus. Ele disse que pensava no nome do Senhor, na misericórdia de Deus e em muitas outras coisas correlatas.

Quando ele estava se sentindo deprimido, escreveu no Salmo 143:5: *Por isso, dentro de mim [envolto em trevas] esmorece o meu espírito [e está oprimido], e o coração [dentro do meu peito] se vê turbado. Lembro-me dos dias de outrora, penso em todos os teus feitos e considero nas obras das tuas mãos.*

Vemos nessa passagem que a resposta de Davi aos seus sentimentos de depressão e melancolia não era meditar no problema. Em vez disso, ele, literalmente, se sobrepunha ao problema, escolhendo lembrar-se dos bons tempos dos dias passados – considerando os feitos de Deus e as obras de suas mãos. Em outras palavras, ele pensava em alguma coisa boa, e isso o ajudava a superar a depressão.

Jamais se esqueça disto: *sua mente desempenha papel importante na sua vitória.*

Sei que é o poder do Espírito Santo trabalhando por meio da Palavra de Deus que traz vitória à nossa vida. Mas uma grande parte do trabalho que precisa ser feito é alinharmos nossa forma de pensar com a de Deus e com sua Palavra. Se nos recusarmos a fazer isso ou escolhermos pensar que é sem importância, jamais experimentaremos vitória.

TRANSFORME-SE MEDIANTE A RENOVAÇÃO DA SUA MENTE

> *E não vos conformeis com este século [este mundo moldado e adaptado aos seus costumes superficiais externos], mas transformai-vos pela [completa] renovação da vossa mente [pelos seus novos ideais e sua nova atitude], para que experimenteis [por vós mesmos] qual seja a boa, agradável e perfeita vontade de Deus [o que é bom e aceitável e perfeito à vista de Deus para vós].*
>
> ROMANOS 12.2

Nessa passagem, o apóstolo Paulo está dizendo que se quisermos ver a boa e perfeita vontade de Deus provada em nossa vida, podemos

— se tivermos nossa mente renovada. Renovada a quê? Renovada à forma de pensar de Deus. Por esse processo de nova forma de pensar seremos mudados ou transformados naquilo que Deus quer que sejamos. Jesus fez essa transformação possível pela sua morte e ressurreição. Isso se torna uma realidade em nossa vida por esse processo de renovação da mente.

A esta altura, para evitar qualquer confusão, digo que a forma correta de pensar nada tem a ver com a salvação. A salvação é baseada unicamente no sangue de Jesus, sua morte na cruz e na sua ressurreição. Muitas pessoas estarão no céu porque elas, verdadeiramente aceitaram Jesus como seu Salvador, mas muitas delas jamais andaram em vitória nem desfrutaram o bom plano que Deus tinha para a vida delas porque não tiveram a mente renovada de acordo com a Palavra de Deus.

Por anos eu fui uma dessas pessoas. Eu era nascida de novo. Eu estava indo para o céu. Eu ia à igreja e seguia uma forma de religião, mas, na realidade, eu não tinha vitória em minha vida. A razão disso é que eu estava pensando as coisas erradamente.

PENSE NESSAS COISAS

> *Finalmente, irmãos, tudo o que é verdadeiro, tudo o que é respeitável [e digno de honra e decente], tudo o que é justo, tudo o que é puro, tudo o que é amável, tudo o que é de boa fama [agradável e gracioso], se alguma virtude [e excelência] há e se algum louvor existe, seja isso o que ocupe o vosso pensamento [pensai, examinai cuidadosamente e considerai essas coisas; fixai vossas mentes nelas].*
> FILIPENSES 4.8

A Bíblia apresenta muitas instruções detalhadas sobre os tipos de coisas em que devemos pensar. Estou certa de que você pode ver nessa passagem que nós somos instruídos a pensar em coisas boas, coisas que irão construir, e não destruir.

Nossos pensamentos, com certeza, afetam nossas atitudes e nossa disposição. Tudo o que o Senhor nos diz é para o nosso próprio bem. Ele sabe o que nos fará felizes e o que nos fará infelizes. Quando uma pessoa está cheia de pensamentos errados, ela é infeliz, e aprendi, por experiência pessoal, que quando alguém está infeliz acaba tornando outros infelizes também.

Você deveria fazer uma pesquisa regularmente e perguntar-se: "Sobre o que tenho pensado"? Gaste algum tempo examinando seus pensamentos.

Pensar sobre o que você está pensando é muito valioso porque Satanás leva as pessoas a pensar que a fonte de sua infelicidade ou problema é alguma coisa diferente do que realmente é. Ele quer que elas pensem que estão infelizes em virtude do que está acontecendo à volta delas (suas circunstâncias), mas a infelicidade deve-se, na verdade, ao que está acontecendo dentro delas (seus pensamentos).

Por muitos anos realmente acreditei que era infeliz por causa de coisas que os outros estavam fazendo ou não fazendo. Eu colocava a culpa da minha infelicidade em meu marido e em meus filhos. Se eles fossem diferentes, se eles fossem mais atentos às minhas necessidades, se eles me ajudassem mais em casa, então, eu pensava, eu seria feliz. Era uma coisa e outra por anos. Finalmente decidi encarar a verdade – que nenhuma dessas coisas tinham de me fazer infeliz se eu escolhesse ter a atitude correta. Eram meus pensamentos que estavam me fazendo infeliz.

Digo-lhe pela última vez: Pense sobre o que você está pensando. Você pode localizar alguns dos seus problemas e colocar-se a caminho da liberdade muito rapidamente.

PARTE 2

Condições da Mente

Introdução

Nós, porém, temos a mente de Cristo (o Messias) [e certamente possuímos os pensamentos (sentimentos e propósitos) do seu coração].
1 Coríntios 2.16

Em que condição está a sua mente?
Você notou como a condição de sua mente muda? Num momento você pode estar calmo e em paz e no outro, ansioso e preocupado. Ou você pode tomar uma decisão e estar seguro a respeito dela, então, mais tarde, encontra a sua mente em uma condição confusa a respeito da mesmíssima coisa sobre a qual anteriormente você estava tão seguro e certo.

Houve momentos em que experimentei essas coisas, como também outras. Houve momentos em que eu parecia ser capaz de crer em Deus sem qualquer problema, e então houve outros tempos quando a dúvida e a descrença me perseguiram impiedosamente.

Como parece que a mente pode se encontrar em tantas situações diferentes, comecei a me perguntar quando a minha mente estava normal. Eu queria saber o que era normal para aprender a lidar com os padrões de pensamentos anormais imediatamente antes da chegada deles.

Por exemplo, uma mente crítica, julgadora e desconfiada poderia ser considerada anormal para um crente. Entretanto, na maior parte da minha vida, isso foi normal para mim – embora não devesse ser. Era ao que eu estava acostumada, e ainda que minha forma de pensar fosse muito errada e estivesse me causando muitos problemas, eu não sabia que havia alguma coisa errada com o que eu estava pensando.

Eu não sabia que eu poderia fazer alguma coisa sobre meus pensamentos. Eu era uma crente e tinha sido por anos, mas não tive qualquer ensinamento sobre minha forma de pensar ou sobre a condição adequada em que a mente do cristão deveria estar. Nossa mente não nasce de novo com a experiência do Novo Nascimento – ela tem de ser renovada (Romanos 12.2). Como já disse muitas vezes, a renovação da mente é um processo que demanda tempo. Não se sinta frustrado, mesmo que você leia a próxima parte deste livro e descubra que na maior parte do tempo sua mente está em um estado que é anormal para alguém que proclama Cristo como Salvador. Reconhecer o problema é o primeiro passo em direção à recuperação.

No meu caso, comecei a ficar mais séria a respeito do meu relacionamento com o Senhor muitos anos atrás, e foi naquela época que Ele começou a me revelar que muitos dos meus problemas estavam enraizados em pensamentos errados. Minha mente era uma bagunça! Tenho dúvidas se ela alguma vez esteve na condição em que deveria ter estado – e, se esteve, não foi por muito tempo.

Eu me senti oprimida quando comecei a ver quão viciada estava em pensamentos errados. Eu tentava expulsar os pensamentos errados que vinham à minha mente, e eles voltavam imediatamente. Mas, pouco a pouco, a liberdade e a libertação vieram.

Introdução

Satanás lutará agressivamente contra a renovação da mente, mas é vital que você persista e continue a orar e a estudar nessa área até que você ganhe uma vitória mensurável.

Quando a mente está normal? Espera-se que ela vagueie por toda parte ou você deveria ser capaz de mantê-la focalizada no que está fazendo? Deveria você estar irritado e confuso, ou deveria estar em paz e razoavelmente seguro da direção que deveria estar tomando na vida? Deveria a sua mente ser cheia de dúvidas e descrenças, deveria você ser ansioso e preocupado, atormentado pelo medo? Ou é o privilégio do filho de Deus lançar todo o seu cuidado sobre ele? (1 Pedro 5.7.)

A Palavra de Deus nos ensina que temos a mente de Cristo. Como você pensa que era a mente dEle quando ele viveu na terra – não apenas como Filho de Deus, mas também como Filho do Homem?

Continue na próxima parte de O Campo de Batalha da Mente. Creio que isso abrirá os seus olhos para formas de pensar normais e anormais para aquele que é discípulo de Jesus e se determinou andar em vitória.

Capítulo 8

Quando Minha Mente Está Normal?

[Eu sempre oro] para que o Deus de nosso Senhor Jesus Cristo, o Pai da glória, vos conceda espírito de sabedoria e de revelação [de discernimento de mistérios e de segredos] no pleno [profundo e íntimo] conhecimento dele. [Tendo] iluminados [inundados de luz] os olhos do vosso coração, para saberdes [e entenderdes] qual é a esperança do seu chamamento, qual a riqueza da glória da sua herança nos santos (os seus separados).

EFÉSIOS 1.17-18

Note que Paulo ora para que ganhemos sabedoria tendo "os olhos do (nosso) coração" iluminados. Baseada em diversas coisas que tenho estudado, descrevo "os olhos do coração" como a mente.

Como cristãos, em que condição deveria estar nossa mente? Em outras palavras, qual deveria ser o estado normal da mente do crente? Para respondermos a essa pergunta, devemos examinar as diferentes funções da mente e do espírito.

De acordo com a Palavra de Deus, a mente e o Espírito trabalham juntos: isso é o que chamo de princípio da "mente auxiliando o espírito".

Para entendermos melhor esse princípio, vejamos como ele funciona na vida do crente.

Capítulo 8

O PRINCÍPIO MENTE-ESPÍRITO

Porque qual dos homens sabe (conhece e entende) as coisas [que se passam nos pensamentos] do homem, senão o seu próprio espírito, que nele está? Assim, também as coisas de Deus, ninguém as conhece (sabe e compreende), senão o Espírito de Deus.

1 Coríntios 2.11

Quando uma pessoa recebe a Cristo como seu Salvador pessoal, o Espírito Santo vem morar nela. A Bíblia nos ensina que o Espírito Santo conhece a mente de Deus. Da mesma maneira que apenas o próprio espírito dentro de uma pessoa é o único que conhece seus pensamentos, o Espírito de Deus é o único que conhece a mente de Deus.

Uma vez que o Espírito Santo habita em nós e uma vez que Ele conhece a mente de Deus, um dos seus propósitos é nos dar a conhecer a sabedoria e revelação de Deus. Essa sabedoria e essa revelação são concedidas ao nosso espírito e nosso espírito, então, ilumina os olhos do nosso coração, que é a mente. O Espírito Santo faz isso para que possamos entender em um nível prático o que está sendo ministrado a nós espiritualmente.

NORMAL OU ANORMAL?

Como crentes, somos espirituais e somos também naturais. O natural nem sempre entende o espiritual; portanto, é vitalmente necessário que nossa mente seja iluminada no que diz respeito ao que está acontecendo em nosso espírito. O Espírito Santo deseja nos trazer esta iluminação, mas a mente *frequentemente deixa de perceber o que o espírito está tentando revelar, porque ela está muito ocupada.* Uma mente muito ocupada é anormal. A mente é normal quando está em descanso – não vazia, mas em descanso.

Quando Minha Mente Está Normal?

A mente não deveria estar cheia de questionamento, preocupação, ansiedade, medo e outras coisas como essas. Ela deveria estar calma, quieta e serena. À medida que avançarmos nesta segunda parte do livro, você observará diversas condições anormais da mente e, provavelmente, as reconhecerá como condições frequentes da sua própria mente.

É importante entender que a mente precisa ser mantida na condição "normal" descrita neste capítulo. Compare-a com as condições usuais da nossa mente e você verá por que frequentemente temos tão pouca revelação do Espírito Santo e por que muito frequentemente sentimos falta de sabedoria e revelação.

Lembre-se: o Espírito Santo tenta iluminar a mente do crente. O Espírito Santo dá informação de Deus ao espírito da pessoa e se o espírito e a mente estiverem se auxiliando mutuamente, então eles poderão andar em sabedoria e revelação. Mas se a sua mente estiver muito ocupada, ela perderá o que o Senhor está tentando revelar-lhe por meio do seu espírito.

O SUSSURRO TRANQUILO E SUAVE

Disse-lhe Deus: Sai e põe-te neste monte perante o Senhor. Eis que passava o Senhor; e um grande e forte vento fendia os montes e despedaçava as penhas diante do Senhor, porém o Senhor não estava no vento; depois do vento, um terremoto, mas o Senhor não estava no terremoto. Depois do terremoto, um fogo, mas o Senhor não estava no fogo; e, depois do fogo, um cicio tranquilo e suave.

1 Reis 19.11,12

Por anos orei pedindo a Deus para me revelar coisas por meio do seu Espírito que vivia em mim. Eu sabia que esse pedido era bíblico. Eu confiava na Palavra e me sentia segura de que deveria pedir e receber. Apesar disso, na maior parte do tempo, sentia-me uma

Capítulo 8

"ignorante espiritual". Então, aprendi que não estava recebendo muito do que o Espírito Santo desejava me revelar simplesmente porque minha mente estava tão frenética e ocupada que eu estava perdendo a informação que me estava sendo oferecida.

Imagine duas pessoas juntas em uma sala, uma tentando cochichar um segredo para a outra. Se a sala estiver cheia de ruídos altos, embora a mensagem esteja sendo transmitida, aquela que está esperando pela informação secreta a perderá, simplesmente porque a sala está tão barulhenta que ela não pode ouvir. A menos que ela esteja prestando muita atenção, ela pode até nem mesmo perceber que alguém esteja lhe falando.

A comunicação entre o Espírito de Deus e o nosso espírito se dá dessa forma. Os modos do Espírito Santo são gentis; na maioria das vezes Ele fala conosco como o fez com o profeta nesta passagem – em um "cicio tranquilo e suave". Portanto, é vital que aprendamos a nos manter em uma condição propícia para ouvir.

O ESPÍRITO E A MENTE

> *Que farei, pois? Orarei com o espírito [por meio do Espírito Santo que está dentro de mim], mas também orarei [inteligentemente] com a mente [e com o entendimento]...*
>
> 1 Coríntios 14.15

Talvez a melhor forma de entender este princípio da "mente auxiliando o espírito" seja pensar sobre a oração. Nesse verso o apóstolo Paulo disse que ele orava ambos com seu espírito e com sua mente.

Entendo o que Paulo está dizendo porque faço a mesma coisa. Frequentemente, oro no espírito (em língua desconhecida); depois de ter orado assim por algum tempo, frequentemente alguma coisa virá à minha mente para orar em inglês (minha própria língua).

Creio que desta forma a mente auxilia o espírito. Elas trabalham juntas para obter o conhecimento e a sabedoria de Deus para mim de uma forma que eu possa entender.

Isso também funciona na outra direção. Há momentos em que quero orar, então me coloco à disposição de Deus para a oração. Se não há qualquer atividade em particular no meu espírito, simplesmente começo a orar na minha mente. Oro sobre os assuntos e situações a respeito dos quais tenho conhecimento. Algumas vezes essas orações parecem muito superficiais – não há nenhuma ajuda vinda do meu espírito. Pareço estar em luta, então continuo com alguma coisa da qual já tenho conhecimento.

Continuo assim até que o Espírito Santo tome conta de mim a respeito de certos assuntos. Quando ele faz isso, então sei que atingi um ponto sobre o qual Ele quer orar, não apenas alguma coisa sobre o que estou orando. Dessa forma, minha mente e o meu espírito trabalham juntos, auxiliando um ao outro para o cumprimento da vontade de Deus.

LÍNGUAS E INTERPRETAÇÕES

Pelo que, o que fala em outra língua [desconhecida] deve orar [para ter o poder] para que a possa interpretar [e explicar o que ele diz]. Porque, se eu orar em outra língua [desconhecida], o meu espírito [por meio do Espírito Santo que habita em mim] ora de fato, mas a minha mente fica infrutífera [não produz frutos nem ajuda ninguém].

1 CORÍNTIOS 14.13-14

Outro exemplo da maneira pela qual o espírito e a mente trabalham juntos é o dom de línguas com interpretação.

Quando falo em línguas, minha mente fica infrutífera até que Deus me dê, ou a outra pessoa, a compreensão do que estou dizendo; então, minha mente se torna frutífera.

Por favor, lembre-se de que os dons não são línguas e tradução. Tradução é um relato da mensagem, palavra por palavra, enquanto na interpretação a pessoa dá uma compreensão sobre o que uma outra disse, mas no estilo próprio do intérprete expresso por intermédio de sua própria personalidade particular.

Dou-lhe um exemplo: A irmã Maria pode levantar-se na igreja e dar uma mensagem em uma língua desconhecida. Isso veio do seu espírito, e nem ela nem ninguém mais sabe o que ela disse. Deus pode fazer com que eu entenda a mensagem, mas talvez de maneira geral. Quando me levanto em fé e começo a interpretar o que foi dito, faço a mensagem compreensível a todos. Mas vem de mim, na minha forma única de expressão.

Orar no espírito (em uma língua desconhecida) e interpretar (essa língua desconhecida) são formas maravilhosas para entender o princípio da "mente auxiliando o espírito". O espírito está falando alguma coisa e a mente está dando o entendimento.

Agora pense nisto: Se a irmã Maria falar em uma língua desconhecida e Deus estiver procurando alguém para trazer a interpretação, ele terá de me deixar de lado se a minha mente estiver em atividade frenética e ocupada para ouvir. Ainda que ele tente me dar a interpretação, não a receberei.

Quando eu era jovem na fé e estava aprendendo sobre os dons espirituais, orava quase que exclusivamente em línguas. Depois de um tempo razoável, comecei a me sentir entediada com minha vida de oração. Quando conversei com o Senhor sobre isso, Ele me fez saber que eu estava entediada porque não tinha compreensão daquilo sobre o que estava orando. Embora perceba que nem sempre tenho de entender o que estou dizendo quando oro no espírito, aprendi que esse tipo de oração está fora de equilíbrio e não é a mais frutífera se eu nunca tiver qualquer entendimento.

UMA MENTE ALERTA E PACÍFICA

Tu, Senhor, conservarás [e guardarás] em perfeita [e constante] paz aquele cujo propósito [ambos sua inclinação e caráter] é firme [em ti]; porque ele confia em ti [descansa em ti e espera confiantemente em ti].

Isaías 26.3

Espero que, por meio desses exemplos, você consiga ver prontamente que sua mente e seu espírito certamente trabalham juntos. Portanto, é da mais alta importância que sua mente seja mantida em uma condição normal, caso contrário, ela não pode auxiliar seu espírito.

Satanás, com certeza, conhece esse fato, então ele ataca sua mente, deflagrando uma guerra contra você no campo de batalha da sua mente. Ele quer sobrecarregar e extenuar sua mente enchendo-a com todo tipo de pensamentos errados para que ela não esteja livre e disponível ao Espírito Santo trabalhando por intermédio do seu próprio espírito humano.

A mente deveria ser mantida em paz. Como nos diz o profeta Isaías, quando a mente está nas coisas certas, ela estará descansada.

Ainda assim, a mente deveria estar alerta. Isso se torna impossível quando ela está carregada com coisas que ela nunca pretendeu carregar.

Pense nisto: quanto tempo sua mente está normal?

Capítulo 9

Uma Admirável Mente Divagante

Por isso, cingindo o vosso entendimento...
1 Pedro 1.13

No capítulo anterior, afirmamos que uma mente muito ocupada é anormal. Outra condição anormal da mente é ficar vagueando de um lado para o outro. A inabilidade de concentração indica ataque mental do diabo.

Muitas pessoas têm gastado anos permitindo que a mente delas vagueie, porque elas jamais aplicaram os princípios da disciplina à sua vida meditativa.

Muito frequentemente, as pessoas que parecem não poder se concentrar pensam que são mentalmente deficientes. Entretanto, a inabilidade de concentração pode ser o resultado de anos permitindo que a mente faça o que ela quer fazer, quando quer fazer. Falta de concentração pode ser também deficiência de vitamina. Certas vitaminas do complexo B fortalecem a concentração, portanto, se você tem inabilidade para concentrar-se, pergunte-se se você está se alimentando corretamente e se sua dieta está correta do ponto de vista nutricional.

Capítulo 9

Fadiga extrema também pode afetar a concentração. Descobri que, quando estou excessivamente cansada, Satanás tenta atacar minha mente porque ele sabe que é mais difícil resistir-lhe durante esses períodos. O diabo quer que eu e você pensemos que somos mentalmente deficientes, então não tentaremos fazer nada para causar-lhe problemas. Ele quer que aceitemos passivamente qualquer mentira que ele nos diga.

Uma das nossas filhas tinha dificuldade para concentrar-se durante seus anos de infância. Para ela, era difícil ler, porque concentração e compreensão caminham de mãos dadas. Muitas crianças e mesmo alguns adultos não entendem o que lêem. Seus olhos enxergam as palavras na página, mas a mente, na verdade, não entende o que está sendo lido.

Frequentemente a falta de compreensão é resultado da falta de concentração. Sei, por mim mesma, que posso ler um capítulo da Bíblia ou de um livro e subitamente perceber que não tenho a menor idéia do que li. Posso voltar e ler outra vez, e tudo parece novo para mim porque, ainda que meus olhos estivessem enxergando as palavras na página, minha mente tinha vagueado para algum outro lugar. Porque não estava concentrada no que estava fazendo, deixei de compreender o que estava lendo.

Frequentemente o problema real por trás da falta de compreensão é uma de atenção causada por uma mente divagante.

UMA MENTE DIVAGANTE

Guarda o teu pé [aplica a tua mente ao que estás fazendo]...
ECLESIASTES 5.1

Acredito que a expressão "guarda o teu pé" significa "não perca o equilíbrio ou não saia dos trilhos". A amplificação dessa frase indica que alguém se mantém nos trilhos mantendo a mente naquilo que está fazendo.

Eu tinha uma mente divagante e tive de treiná-la com disciplina. Não foi fácil, e algumas vezes ainda tenho uma recaída. Enquanto estou tentando completar algum projeto, subitamente percebo que minha mente desviou-se para alguma coisa que não tem nada a ver com o assunto em pauta. Ainda não cheguei ao ponto da perfeita concentração, mas pelo menos entendo como é importante não permitir que minha mente vá onde ela quer, quando desejar.

O dicionário *Webster* define a palavra *wander* (vaguear) como: "1. Andar ao acaso, sem rumo. 2. Ir por uma rota indireta ou de forma inconstante, a passo lento. 3. Seguir um curso ou ação irregular. 4. Pensar ou expressar-se de forma obscura ou incoerente".[1]

Se você é como eu, você pode estar sentado em uma igreja ouvindo o pregador, realmente gostando e beneficiando-se do que está sendo dito, quando subitamente sua mente começa a divagar. Um pouco depois você "acorda" para se dar conta de que você não se recorda de coisa nenhuma do que aconteceu. Ainda que seu corpo estivesse na igreja, sua mente estava num shopping, passeando pelas lojas, ou em casa, preparando o jantar.

Lembre-se: na batalha espiritual, a mente é o campo de batalha. É onde o inimigo faz seu ataque. Ele sabe muito bem que mesmo que uma pessoa vá à igreja, se ela não mantiver sua mente no que está sendo ensinado, ela não ganhará absolutamente nada por ter estado lá. O diabo sabe que a pessoa não pode se disciplinar para completar um projeto se ela não puder disciplinar sua mente para manter-se no que está fazendo.

Esse fenômeno de uma mente divagante também ocorre durante uma conversa. Às vezes, meu marido Dave está conversando comigo e escuto-o por um pouco de tempo; subitamente percebo que não ouvi uma palavra do que ele estava dizendo. Por quê? Porque permiti que minha mente divagasse para alguma outra coisa. Meu corpo estava lá, parecendo escutar, mas, apesar disso, minha mente não ouviu nada.

Por muitos anos, quando esse tipo de coisa acontecia, eu fingia que sabia exatamente o que Dave estava dizendo. Agora paro e digo: "Você pode voltar e repetir isso? Deixei minha mente divagar e não ouvi uma palavra do que você disse".

Dessa forma, sinto que pelo menos estou tratando do problema. Enfrentar os problemas é a única maneira de ficar do lado vitorioso deles!

Decidi que se o diabo teve o trabalho de me atacar com uma mente divagante, então talvez estava sendo dita alguma coisa que precisava ouvir.

Uma forma de combater o inimigo nessa área é aproveitando as fitas de áudio ou CDs oferecidos em muitas igrejas. Se você ainda não aprendeu a disciplinar sua mente para se manter no que está sendo dito na igreja, então compre uma fita ou um CD do sermão cada semana e escute tantas vezes quantas forem necessárias para que você realmente ouça a mensagem.

O diabo desistirá quando ele vir que você não irá se render.

Lembre-se: Satanás quer que você pense que é mentalmente deficiente – que há alguma coisa errada com você. Mas a verdade é que você precisa apenas começar disciplinando sua mente. Não a deixe correr pela cidade fazendo o que lhe agrada. Comece hoje a "guardar o seu pé" para manter a sua mente no que você está fazendo. Você precisará praticar por um pouco de tempo. Quebrar velhos hábitos e formar novos sempre toma tempo, mas no final vale a pena.

UMA MENTE IMAGINATIVA

Porque em verdade vos afirmo que, se alguém disser a este monte: Ergue-te e lança-te no mar, e não duvidar no seu coração, mas crer que se fará o que diz, assim será com ele. Por isso, vos digo que tudo quanto em oração pedirdes, crede [tende fé e sede confiantes] que recebestes, e será assim convosco [e vos será concedido e vós recebereis].

MARCOS 11.23,24

Quando me defronto com uma coisa ou outra, frequentemente começo a me dizer "Imagino...", "Estou imaginando...". Por exemplo:

"Imagino como será o tempo amanhã..."

"Estou imaginando o que devo usar na festa..."

"Estou imaginando como serão as notas que o Danny (meu filho) terá no seu boletim escolar..."

"Estou imaginando quantas pessoas estarão presentes ao seminário..." A palavra *wonder* é definida, parcialmente, como substantivo, como "um sentimento de perplexidade ou dúvida" e, em sua forma verbal, como "estar cheio de curiosidade ou dúvida"[2].

Aprendi que tenho muito mais proveito fazendo alguma coisa positiva do que simplesmente me perguntando o tempo todo sobre alguma coisa imaginável. Em vez de ficar imaginando quais serão as notas que o Danny vai conseguir, posso acreditar que ele terá boas notas. Em vez de ficar imaginando o que deveria usar na festa, posso decidir o que usar. Em vez de ficar imaginando como estará o tempo ou quantas pessoas estarão em uma das minhas reuniões, posso simplesmente deixar o problema com o Senhor, confiando nEle para fazer com que tudo coopere para o bem, independentemente do que acontecer.

Imaginar deixa uma pessoa na indecisão, e a indecisão causa confusão. Imaginação, indecisão e confusão impedem que um indivíduo receba de Deus, pela fé, a resposta de sua oração ou necessidade.

Note que em Marcos 11.23-24 Jesus não disse: "Tudo quanto você pedir em oração, imagine se você receberá". Em vez disso, ele disse: "Tudo quanto você pedir em oração, creia que receberá"!

Como cristãos, como crentes, devemos acreditar — não duvidar!

Capítulo 10

Uma Mente Confusa

Se, porém, algum de vós necessita de sabedoria, peça-a a Deus, que a todos dá liberalmente [livremente] e nada lhes impropera [sem criticar, nem censurar]; e ser-lhe-á concedida. Peça-a, porém, com fé, em nada duvidando [sem hesitação e sem inquietação]; pois o que duvida [hesita, fica inquieto] é semelhante à onda do mar, impelida e agitada pelo vento. Não suponha esse homem que alcançará do Senhor alguma coisa [pela qual ele pedir]. [Porque sendo um] homem de ânimo dobre [de duas mentes, hesitante, duvidoso, indeciso], [ele é] inconstante [instável, incerto, duvidoso] em todos os seus caminhos [em tudo o que pensa, sente e decide].

TIAGO 1.5-8

Descobrimos que imaginação e confusão são parentas. Imaginar em vez de definir um pensamento pode causar – e certamente causa – dúvida e confusão.

Tiago 1.5-8 é uma excelente passagem que nos ajuda a entender como podemos superar a imaginação, a dúvida e a confusão, e receber aquilo de que precisamos de Deus. Para mim, o "homem de duas mentes" (a Versão King James da Bíblia o chama de "homem de ânimo dobre") é o retrato da confusão, porque ele vai constantemente para a frente e para trás, jamais se decidindo sobre qualquer coisa. Assim que ele pensa que toma uma decisão, já vêm a imaginação, a dúvida e a confusão para levá-lo a operar outra vez entre duas mentes. Ele é inseguro a respeito de tudo.

Vivi muito da minha vida assim, sem perceber que o diabo tinha declarado guerra contra mim e que a minha mente era o campo de batalha. Estava inteiramente confusa sobre tudo e não sabia o porquê.

A RACIONALIZAÇÃO CONDUZ À CONFUSÃO

Por que discorreis entre vós, homens de pequena fé? [...]
MATEUS 16.8

Até aqui temos falado sobre a imaginação e falaremos mais sobre a dúvida no próximo capítulo. Neste ponto, gostaria de discorrer um pouco mais sobre a confusão.

Uma grande porcentagem do povo de Deus é admitidamente confusa. Por quê? Como vimos, uma razão é a imaginação. A outra é a racionalização. O dicionário define a palavra razão, em sua forma de substantivo, como um "fato ou motivo fundamental que fornece sentido lógico para uma premissa ou acontecimento" e na sua forma verbal, como "usar a faculdade da razão: pensar logicamente"[1].

Uma maneira simples de dizer isso é: racionalizar acontece quando a pessoa tenta imaginar o "porquê" por trás de alguma coisa. A racionalização faz com que a mente se revolva em torno de uma situação, assunto ou evento, tentando entender todas as complicadas partes que a compõem. Nós estamos raciocinando quando examinamos uma afirmação, ou ensinamento, para ver se é lógica e a desprezarmos se não for.

Satanás frequentemente nos rouba a vontade de Deus para nós por causa do raciocínio. O Senhor pode nos direcionar a fazer alguma coisa, mas, se ela não fizer sentido – se não for lógica –, poderemos ser tentados a desconsiderá-la. O que Deus direciona uma pessoa a fazer nem sempre tem sentido lógico para sua mente. Seu espírito pode confirmá-lo e sua mente rejeitá-lo, especialmente se for algo extraordinário ou desagradável ou se demandar sacrifício ou desconforto pessoal.

NÃO RACIONALIZE NA MENTE, APENAS OBEDEÇA NO ESPÍRITO

> Ora, o homem natural não aceita as coisas do Espírito de Deus, porque lhe são loucura; e não pode entendê-las, porque elas se discernem espiritualmente.
>
> 1 CORÍNTIOS 2.14

Aqui está uma ilustração pessoal prática que, espero, trará mais compreensão sobre a questão de racionalizar na mente em oposição a obedecer no espírito.

Certa manhã, quando estava me vestindo para ministrar em um encontro semanal que dirijo perto da minha cidade, comecei a pensar sobre a mulher que dirigia nosso ministério de ajuda lá e em como ela tinha sido fiel. Veio um desejo ao meu coração de fazer alguma coisa para abençoá-la de alguma forma.

"Pai, Ruth Ann tem sido uma bênção para todos nós todos esses anos," orei, "o que posso fazer para ajudá-la?"

Imediatamente meus olhos caíram sobre um vestido vermelho novo que estava pendurado em meu *closet*, e sabia em meu coração que o Senhor estava me impelindo a dar aquele vestido à Ruth Ann. Embora o tivesse comprado três meses antes, nunca o tinha usado. Para falar a verdade, ainda estava pendurado na sacola plástica em que o havia trazido para casa. Eu gostava muito dele, mas cada vez que pensava em usá-lo, por alguma razão não tinha vontade de vesti-lo.

Lembre-se: eu disse que quando meus olhos caíram sobre o vestido vermelho, eu *sabia* que deveria dá-lo à Ruth Ann. Entretanto, na verdade não *queria* dá-lo, então imediatamente comecei a questionar em minha mente que Deus não poderia estar me dizendo para dar-lhe o vestido vermelho porque ele era novinho em folha, nunca tinha sido usado, tinha sido bastante caro – eu tinha até mesmo comprado brincos vermelhos e prateados para combinar com ele!

Se eu tivesse mantido minha mente carnal fora da história e continuado a ser sensível a Deus em meu espírito, tudo teria saído muito bem, mas nós, humanos, temos uma habilidade de nos enganarmos por meio da racionalização quando não queremos realmente fazer o que Deus está dizendo. Em alguns minutos havia me esquecido de tudo e tinha ido cuidar das minhas coisas. O ponto crucial era que eu não queria dar o vestido porque era novo e gostava dele. Minha mente arrazoou que o desejo que senti poderia não ter sido de Deus, mas que o diabo estava tentando tirar de mim alguma coisa de que gostava.

Algumas semanas mais tarde, estava me arrumando para outra reunião no mesmo local, como anteriormente, quando outra vez o nome de Ruth Ann veio ao meu coração. Comecei a orar por ela. Repeti toda a cena, dizendo: "Pai, Ruth Ann tem sido uma bênção tão grande para nós, o que posso fazer para abençoá-la?" Imediatamente vi o vestido vermelho outra vez e me senti afundando em minha carne, porque agora me lembrava do outro incidente do qual tinha me esquecido rápida e totalmente.

Desta vez não havia como torcer a situação: ou tinha de encarar o fato de que Deus estava me mostrando o que fazer e, então, fazê-lo, ou simplesmente eu tinha de dizer: "Sei o que estás me mostrando, Senhor, mas simplesmente não vou fazê-lo". Amo o Senhor demais para desejar desobedecer-Lhe intencionalmente, então comecei a conversar com Ele sobre o vestido vermelho.

Em poucos minutos, percebi que na ocasião anterior eu tinha chegado à minha conclusão fora da vontade de Deus e havia levado apenas um momento para fazê-lo. Tinha pensado que não poderia

Uma Mente Confusa

estar ouvindo o Senhor porque o vestido era novo. Entretanto, agora percebi que a Bíblia nada diz sobre doar apenas coisas velhas! Seria um sacrifício maior para mim dar o vestido porque era novo, mas seria também uma bênção maior para Ruth Ann.

Quando abri meu coração para Deus, Ele começou a me mostrar que, para início de conversa, havia comprado o vestido para Ruth Ann; por essa razão, jamais consegui usá-lo. O Senhor quis me usar como seu agente para abençoá-la o tempo todo. Mas tinha tido minha própria idéia sobre o vestido, e até que estivesse desejando abrir mão da minha idéia não poderia ser dirigida pelo Espírito.

Esse incidente em particular ensinou-me muito. Perceber quão facilmente podemos ser dirigidos pela nossa cabeça e permitir que a racionalização nos mantenha fora da vontade de Deus provocou em mim um medo "reverente" do questionamento.

Lembre-se: de acordo com 1 Coríntios 2.14, o homem natural não entende o homem espiritual. Minha mente carnal (meu homem natural) não entendia o fato de eu dar um vestido novo que nunca havia usado, mas meu espírito (meu homem espiritual) entendia bem.

Espero que esse exemplo lhe traga mais compreensão nessa área e o ajude a caminhar na vontade de Deus mais do que antes. (Por falar nisso, você provavelmente deve estar se perguntando se afinal dei o vestido vermelho à Ruth Ann. Sim, dei, e agora ela trabalha em nosso escritório em tempo integral e, ocasionalmente, ainda usa o vestido vermelho para trabalhar.)

SEJA UM PRATICANTE DA PALAVRA

Tornai-vos, pois, praticantes [obedecei à mensagem] da palavra e não somente ouvintes, enganando-vos a vós mesmos [levando-vos ao engano pelo questionamento contrário à verdade].

TIAGO 1.22

Capítulo 10

A qualquer tempo que virmos o que a Palavra disser e nos recusarmos a cumpri-la, o questionamento tem, de alguma forma, se envolvido e nos enganado para que acreditemos em alguma coisa que não a verdade. Não podemos gastar tempo excessivo tentando entender (mentalmente) tudo o que a Palavra diz. Se testemunharmos no espírito, podemos ir em frente e fazer o que deve ser feito.

Descobri que Deus quer que eu Lhe obedeça, quer tenha vontade, queira ou ache que é uma boa idéia, quer não.

Quando Deus fala por meio da sua Palavra ou do nosso homem interior, não devemos arrazoar, debater ou nos perguntar se o que Ele disse é lógico.

Quando Deus fala, devemos nos mobilizar – não racionalizar.

CONFIE EM DEUS, NÃO NA RAZÃO HUMANA

[Descansa e tem fé e] confia no Senhor de todo o teu coração [e mente] e não te estribes no teu próprio entendimento [ou perspectiva].

PROVÉRBIOS 3.5

Em outras palavras, não confie em racionalização. A racionalização abre a porta para a decepção e traz muita confusão.

Certa vez, perguntei ao Senhor por que tantas pessoas estavam confusas, e Ele me disse: "Diga-lhes que parem de tentar imaginar tudo e eles deixarão de ser confusos". Descobri que isso é absolutamente verdade. A racionalização e a confusão caminham juntas.

Eu e você podemos ponderar uma coisa em nosso coração, colocá-la diante do Senhor e ver se Ele deseja nos dar a compreensão a tal respeito, mas, no instante em que começarmos a nos sentir confusos, teremos ido longe demais.

A racionalização é perigosa por muitas razões, mas uma delas é esta: podemos racionalizar e imaginar alguma coisa que parece fazer sentido para nós. Mas o que podemos ter racionalizado como correto pode estar errado.

Uma Mente Confusa

A mente humana gosta de lógica, de ordem e de razão. Ela gosta de lidar com aquilo que entende. Portanto, temos a tendência de colocar as coisas em caixinhas limpas nos departamentos da nossa mente, pensando: "Isto deve ser assim, porque se encaixa tão bem aqui". Podemos encontrar alguma coisa com a qual nossa mente se sente confortável e ainda assim estarmos totalmente errados.

O apóstolo Paulo disse em Romanos 9.1: *Digo a verdade em Cristo, não minto, testemunhando comigo, no Espírito Santo, a minha própria consciência [iluminada e preparada pelo Espírito Santo].* Paulo sabia que estava fazendo a coisa certa não porque seu raciocínio disse que estava certo, mas porque ele testemunhou no seu espírito.

Como temos visto, a mente algumas vezes ajuda o espírito. A mente e o espírito trabalham juntos, mas o espírito é o órgão mais nobre e deveria sempre ser honrado acima da mente.

Se soubermos, em nosso espírito, que uma coisa está errada, não deveremos permitir que nosso raciocínio nos convença a fazê-lo. Por outro lado, se soubermos que uma coisa é certa, não deveremos permitir que nosso raciocínio nos convença a não fazê-lo.

Deus nos dá entendimento em muitos assuntos, mas nós não precisamos entender tudo para andarmos com o Senhor e em obediência à sua vontade. Há momentos em que Deus deixa enormes pontos de interrogação em nossa vida para aumentar a nossa fé. Perguntas não respondidas crucificam a vida da carne. É difícil aos seres humanos desistir da racionalização e simplesmente confiar em Deus, mas, quando o processo é finalizado, a mente entra em um lugar de descanso.

Racionalizar é uma das "atividades ativas" na qual a mente se engaja e que impede o discernimento e o conhecimento da revelação. Há uma grande diferença entre o conhecimento que vem da cabeça e o conhecimento por revelação.

Não sei sobre você, mas quero que Deus me revele as coisas de tal maneira que saiba em meu espírito que o que foi revelado à minha mente está correto. Não quero racionalizar, imaginar e ser lógica revolvendo minha mente em torno de um assunto até ficar exausta e confusa. Quero experimentar a paz de mente e de coração que vem da confiança em Deus, não do meu próprio discernimento humano e entendimento.

Eu e você devemos crescer até o ponto de ficarmos satisfeitos por conhecer o Único que sabe, ainda que não saibamos.

RESOLVA NÃO CONHECER NADA, EXCETO CRISTO

> *Eu, irmãos, quando fui ter convosco, anunciando-vos o testemunho [e evidência ou mistério e segredo] de Deus [no que diz respeito ao que ele fez através de Cristo para a salvação dos homens], não o fiz com ostentação de linguagem [grandiosa] ou de sabedoria [ou de filosofia humana]. Porque decidi nada saber [não estar familiarizado com coisa alguma, não fazer exibição de qualquer conhecimento e não estar ciente de qualquer coisa] entre vós, senão a Jesus Cristo [o Messias] e este crucificado.*
>
> 1 Coríntios 2.1,2

Esse era o enfoque de Paulo para o conhecimento e a racionalização, e consegui entendê-lo e apreciá-lo. Levou muito tempo, mas finalmente percebi que, em muitos casos, quanto menos sei, mais feliz sou. Algumas vezes descobrimos tanto que isso nos torna infelizes.

Sempre fui uma pessoa muito curiosa e inquisitiva. Tinha de ter tudo calculado para estar satisfeita. Deus começou a me mostrar que minha constante racionalização era a base da minha confusão e que isso estava me impedindo de receber o que Ele queria me dar, Ele me disse: "Joyce, você deve colocar de lado a racionalização carnal se você espera ter discernimento."

Percebo agora que me sentia mais segura se tivesse tudo calculado. Não queria nenhuma ponta solta em minha vida. Queria estar no controle – e, quando não entendia as coisas, me sentia fora do controle – amedrontada. Mas alguma coisa estava me faltando. Não tinha paz na mente e estava fisicamente exausta de tanto racionalizar.

Esse tipo de contínua atividade mental errada até mesmo torna seu corpo físico cansado. Isso pode deixá-lo exausto!

Deus exigiu que eu desistisse disso, e sugiro enfaticamente a mesma coisa para qualquer um que seja viciado em racionalização. Sim, eu disse viciado em racionalização. Podemos nos tornar viciados em atividades mentais erradas, da mesma maneira que alguém pode se viciar em drogas ou álcool ou nicotina. Eu era viciada em racionalização e quando a abandonei tive sintomas de carência. Senti-me perdida e amedrontada, porque não sabia o que estava acontecendo. Senti-me até mesmo entediada.

Tinha gastado tanto do meu tempo mental racionalizando que quando abandonei essa atividade precisei me acostumar com o fato de minha mente estar em paz. No início, parecia tedioso, mas agora amo isso. Enquanto, antes, costumava dirigir minha mente durante todo o tempo sobre tudo, agora não posso tolerar a dor e o trabalho da racionalização.

A racionalização não é a condição normal na qual Deus quer que nossa mente resida. Esteja consciente de que não é normal que a mente esteja cheia de racionalização. Pelo menos não o é para cristãos que pretendem ser vitoriosos – o crente que pretende ganhar a guerra que é travada no campo de batalha da mente.

Capítulo 11

Uma Mente Duvidosa e Descrente

Homem de pequena fé, por que duvidaste?
MATEUS 14.31

Admirou-se da incredulidade deles [...]
MARCOS 6.6

Geralmente falamos sobre dúvida e descrença juntas, como se elas fossem uma, a mesma coisa. Na verdade, embora elas possam estar ligadas, as duas são coisas muito diferentes.

O *Dicionário Expositivo das Palavras do Novo Testamento* define *duvidar*, na forma de verbo, como "estar em dois caminhos... implicando incerteza em qual deles seguir... dito de crentes cuja fé é pequena... estar ansioso por causa de um estado distraído da mente, oscilando entre esperança e medo"[1]

O mesmo dicionário assinala que uma das duas palavras gregas traduzidas como *descrença* "é sempre traduzida como 'desobediência', na VR." (Versão Revista da tradução de King James).[2]

Então, quando olhamos para essas duas armas poderosas do inimigo, vemos que a dúvida leva uma pessoa a oscilar entre duas opiniões, enquanto a descrença a conduz à desobediência.

Capítulo 11

Penso que será útil reconhecer exatamente com o quê o diabo está tentando nos atacar. Estamos lidando com dúvida ou com descrença?

DÚVIDA

Até quando coxeareis entre dois pensamentos?...
I REIS 18.21

Ouvi uma história que lançará luz sobre a dúvida.

Havia um homem que estava doente e que estava confessando a Palavra sobre seu corpo, repetindo versículos de cura e crendo que sua cura se manifestaria. Enquanto fazia isso, era intermitentemente atacado por pensamentos de dúvida.

Após ter atravessado um tempo difícil e começando a ficar desencorajado, Deus abriu-lhe os olhos para o mundo espiritual. Isso foi o que ele viu: um demônio dizendo-lhe mentiras, dizendo-lhe que ele não seria curado e que confessar a Palavra não iria funcionar. Mas ele também viu que, cada vez que ele confessava a Palavra, saía luz da sua boca como uma espada e o demônio se acovardava e recuava.

Quando Deus lhe mostrou essa visão, o homem, então, entendeu por que era tão importante repetir a Palavra. Ele viu que realmente tinha fé e por causa disso o demônio o estava atacando com dúvida.

A dúvida não é algo que Deus coloca em nós. A Bíblia diz que Deus dá a cada homem uma *medida de fé* (Romanos 12.3). Deus colocou a fé em nosso coração, mas o diabo tenta anular a nossa fé atacando-nos com a dúvida.

A dúvida vem em forma de pensamentos que estão em oposição à Palavra de Deus. Por isso é tão importante que a conheçamos. Se conhecermos a Palavra, então poderemos reconhecer quando o diabo estiver mentindo para nós. Tenha certeza de que ele nos conta mentiras para roubar o que Jesus Cristo comprou para nós por meio de sua morte e ressurreição.

DÚVIDA E DESCRENÇA

Abraão, esperando contra a esperança [para Abraão a razão humana para a esperança havia acabado], creu, para vir a ser pai de muitas nações, segundo lhe fora dito: Assim será a tua descendência.
E, sem enfraquecer na fé, embora levasse em conta o seu próprio corpo amortecido [estando como morto], sendo já de cem anos, ou [quando ele considerou a infertilidade do ventre amortecido e] a idade avançada de Sara.
Não duvidou [nem descreu], por incredulidade, da promessa de Deus; mas, pela fé, se fortaleceu, dando glória a Deus. Estando plenamente convicto de que ele era poderoso para [manter sua palavra e] cumprir o que prometera.
ROMANOS 4.18-21

Quando estou em uma batalha, sabendo o que Deus prometeu, mas mesmo assim sendo atacada pela dúvida e descrença, gosto de ler ou meditar nessa passagem.

Abraão tinha recebido a promessa de Deus de que faria com que tivesse um herdeiro do seu próprio corpo. Muitos anos vieram e se foram, e ainda não havia nenhuma criança como resultado do relacionamento de Abraão e Sara. Abraão ainda estava esperando em fé, crendo que o que Deus havia dito viria a acontecer. Enquanto ele se mantinha firme, era atacado por pensamentos de dúvida, e o espírito de descrença o estava pressionando para desobedecer a Deus.

A desobediência em uma situação como essa é simplesmente desistir quando Deus está nos ordenando que perseveremos. Desobediência é negligenciar a voz do Senhor ou o que quer que Deus esteja nos falando pessoalmente, não apenas transgredir os Dez Mandamentos.

Abraão continuou firme. Ele continuou louvando e dando glória a Deus. A Bíblia afirma que ao fazer isso ele ficou mais forte na fé.

Quando Deus nos pede para fazer alguma coisa, a fé para crer nisso ou fazer isso vem da palavra de Deus. Seria ridículo Deus esperar que fizéssemos alguma coisa sem nos dar a habilidade de crer que podemos fazê-lo. Satanás sabe quão perigosos seremos com um coração cheio de fé, então ele nos ataca com dúvida e descrença.

Não é que não tenhamos fé, é apenas que Satanás está tentando destruir nossa fé com mentiras.

Dou-lhe um exemplo. Refere-se ao tempo quando recebi meu chamado para o ministério. Era uma manhã comum como outra qualquer, exceto que tinha sido cheia do Espírito Santo três semanas antes. Tinha acabado de ouvir meu primeiro áudio de ensino. Era uma mensagem do pastor Ray Mossholder, intitulada *Passe para o outro lado*. Estava agitada em meu coração e surpresa que alguém pudesse ensinar uma hora inteira usando um versículo e que toda a palestra fosse interessante.

Enquanto estava arrumando minha cama, subitamente senti um desejo intenso, bem no meu íntimo, de ensinar a Palavra de Deus. Então a voz do Senhor veio a mim dizendo: "Você irá a todos os lugares e ensinará a minha Palavra e terá um amplo ministério de fitas gravadas".

Não haveria nenhuma razão natural para acreditar que Deus havia mesmo falado comigo ou que poderia ou faria o que tinha acabado de ouvir. Tinha muitos problemas dentro de mim. Não teria chegado a ser um "material ministerial", mas Deus escolhe as coisas fracas e tolas do mundo para confundir os sábios. (1 Coríntios 1.27.) Ele olha para o coração do homem, não para a sua carne (1 Samuel 16.7). Se o coração está correto, Deus pode mudar a carne.

Embora não houvesse nada na área natural que indicasse que deveria acreditar, quando o desejo veio sobre mim, senti-me tão cheia de fé que poderia fazer o que o Senhor queria que fizesse. Quando Deus chama, Ele dá o desejo, a fé e a habilidade para fazer o trabalho. Mas também quero dizer-lhe que, durante os anos que passei em treinamento e em espera, o diabo me atacou regularmente com dúvida e descrença.

Deus coloca sonhos e visões no coração do Seu povo; eles começam como "sementinhas". Assim como uma mulher tem uma semente plantada em seu ventre quando ela fica grávida, da mesma forma nós nos tornamos "grávidos", figurativamente falando, com as coisas que Deus fala e promete. Durante a "gravidez", Satanás trabalha arduamente para tentar fazer com que "abortemos" nossos sonhos. Uma das armas que ele usa é a dúvida; a outra é a descrença. Ambas trabalham contra a mente.

A fé é um produto do espírito; é uma força espiritual. O inimigo não quer que mantenhamos nossa mente em concordância com nosso espírito. Ele sabe que se Deus colocar fé em nós para fazermos alguma coisa e se formos positivos e começarmos a crer consistentemente que realmente podemos fazê-la, então faremos um estrago considerável ao reino do mal.

CONTINUE ANDANDO SOBRE AS ÁGUAS

Entretanto, o barco já estava longe, [em mar alto] a muitos estádios [um estádio corresponde a aproximadamente duzentos metros] da terra, [batido e] açoitado pelas ondas; porque o vento era contrário. Na quarta vigília [entre 3 e 6 horas da manhã] da noite, foi Jesus ter com eles, andando por sobre o mar. E os discípulos, ao verem-no andando sobre as águas, ficaram aterrados e exclamaram: É um fantasma! E, tomados de medo, gritaram. Mas Jesus imediatamente lhes disse: Tende bom ânimo! Sou eu. Não temais! Respondendo-lhe Pedro, disse: Se és tu, Senhor, manda-me ir ter contigo, por sobre as águas. E ele disse: Vem! E Pedro, descendo do barco,

Capítulo 11

> *andou por sobre as águas e foi ter com Jesus. Reparando, porém,*
> *na força do vento, teve medo; e, começando a submergir, gritou:*
> *Salva-me [da morte], Senhor!*
> *E, prontamente, Jesus, estendendo a mão, tomou-o e lhe disse: Homem de*
> *pequena fé, por que duvidaste? Subindo ambos para o barco, cessou o vento.*
>
> Mateus 14.24-32

Enfatizei o último verso porque quero chamar sua atenção para o programa que o inimigo esboçou nessa passagem. Pedro, ao comando de Jesus, apressou-se a fazer algo que não havia feito antes. Para falar a verdade, ninguém, exceto Jesus, jamais havia feito isso.

ISSO DEMANDAVA FÉ!

Pedro cometeu um erro: gastou muito tempo olhando a tempestade. Ele ficou amedrontado. Dúvida e descrença o assediaram, e ele começou a afundar. Ele gritou para que Jesus o salvasse, e Jesus o salvou. Mas observe que a tempestade cessou assim que *Pedro voltou para o barco!*

Lembra-se de Romanos 4.18-21 quando Abraão não vacilou ao considerar sua situação impossível? Abraão conhecia as condições, mas, diferentemente de Pedro, não creio que ele pensava ou falava nisso o tempo todo. Podemos estar conscientes das nossas circunstâncias e, ainda assim, propositadamente, manter nossa mente em alguma coisa que aumentará e edificará a nossa fé.

É por isso que Abraão se manteve ocupado louvando e glorificando a Deus. Glorificamos a Deus quando continuamos a fazer o que sabemos que é certo, mesmo em circunstâncias adversas. Efésios 6.14 nos ensina que em tempos de guerra espiritual devemos colocar o cinturão da verdade.

Quando a tempestade vier em sua vida, bata os pés, levante o rosto resolutamente e determine-se, pelo Espírito Santo, a ficar fora do barco! Muito frequentemente a tempestade cessa assim que você desiste e engatinha de volta para um lugar de segurança e proteção.

O diabo traz tempestades em sua vida para intimidá-lo. Durante uma tempestade, lembre-se de que a mente é o campo de batalha. Não tome suas decisões baseado em seus pensamentos ou sentimentos, mas confira em seu espírito. Quando fizer isso, você encontrará a mesma visão que estava lá no começo.

NENHUMA HESITAÇÃO É PERMITIDA!

> *Se, porém, algum de vós necessita de sabedoria, peça-a a Deus [Doador], que a todos dá liberalmente e nada lhes impropera; e ser-lhe-á concedida [sem reclamar, sem reprovar ou censurar].*
> *Peça-a, porém, com fé, em nada duvidando [sem hesitação, sem inquietação]; pois o que duvida [hesita e se inquieta] é semelhante à onda do mar, impelida e agitada pelo vento.*
> *[Verdadeiramente] não suponha esse homem que alcançará do Senhor alguma coisa [que pedir].*
>
> TIAGO 1.5-7

Meu pastor, Rick Shelton, conta uma história sobre como ficou confuso tentando decidir o que fazer quando ele se formou no seminário bíblico. Deus havia colocado firmemente em seu coração o desejo de voltar a St. Louis, no Missouri, e começar uma igreja local depois da sua formatura, o que ele pretendia fazer. Entretanto, quando chegou a hora de ir, ele tinha aproximadamente 50 dólares no bolso, uma esposa, uma criança e outra a caminho. Obviamente, suas circunstâncias não eram muito boas.

Em meio ao processo de tomar uma decisão, ele recebeu duas ótimas ofertas para trabalhar com o grupo de outros ministérios grandes e bem estabelecidos. Seu salário teria sido bom. As oportunidades ministeriais eram atrativas e, se nada mais houvesse, apenas

Capítulo 11

a honra de trabalhar para qualquer desses ministérios teria animado seu ego. Quanto mais ele pensava, mais confuso ele ficava. Parece que o Sr. Dúvida o estava visitando, não?

Num momento ele sabia o que queria fazer, e agora ele estava *hesitando* entre as opções. Como suas circunstâncias não favoreciam sua volta a St. Louis, ele estava tentado a aceitar uma das outras ofertas, mas não conseguia se sentir em paz em qualquer uma das direções. Finalmente, ele pediu conselho a um dos pastores que lhe haviam oferecido um emprego, e o homem sabiamente disse: "Vá para algum lugar, fique quieto e desligue a cabeça. Faça o que está em seu coração"!

Quando ele seguiu o conselho do pastor, descobriu rapidamente que em seu coração estava a igreja em St. Louis. Ele não sabia como poderia fazê-lo com o que tinha em mãos, mas ele seguiu em frente obedientemente, e os resultados foram maravilhosos.

Hoje, Rick Shelton é o fundador e o pastor principal do Life Christian Center, em St. Louis, Missouri. Atualmente, a Life Christian Center é uma igreja de aproximadamente 3 mil membros, com alcance mundial. Milhares de vidas têm sido abençoadas e transformadas, ao longo dos anos, por meio desse ministério. Fui pastora adjunta lá por cinco anos e meu ministério, Life in the Word, nasceu durante esse tempo. Pense em quanto o diabo teria roubado, mediante a dúvida e a descrença, se o pastor Shelton tivesse sido dirigido pela cabeça em vez de pelo coração.

A DÚVIDA É UMA ESCOLHA

Cedo de manhã, ao voltar para a cidade, teve fome. E, vendo uma figueira à beira do caminho, aproximou-se dela; e, não tendo achado senão folhas [sabendo que na figueira os frutos aparecem ao mesmo tempo que as folhas], disse-lhe: Nunca mais nasça fruto de ti! E a figueira secou imediatamente. Vendo isto os discípulos, admiraram-se [grandemente] e exclamaram: Como secou depressa a figueira! Jesus, porém, lhes respondeu: Em verdade vos digo

que, se tiverdes fé (uma confiança verdadeiramente firme) e não duvidardes, não somente fareis o que foi feito à figueira, mas até mesmo, se a este monte disserdes: Ergue-te e lança-te no mar, tal sucederá. E tudo quanto pedirdes em oração, crendo [e realmente acreditando], recebereis.

MATEUS 21.18-22

Quando seus discípulos se maravilharam e perguntaram a Jesus como ele era capaz de destruir a figueira com uma palavra apenas, em essência, Ele lhes disse: *Se vocês tiverem fé e não duvidarem, vocês podem fazer a mesma coisa que fiz à figueira – e outras obras maiores farão...* (João 14.12).

Nós já estabelecemos que a fé é o dom de Deus, então sabemos que temos fé (Romanos 12.3). Mas a dúvida é uma escolha. É a tática de guerra do diabo contra nossa mente.

Como você pode escolher seus próprios pensamentos, quando a dúvida vier, você deverá aprender a reconhecê-la pelo que ela é e dizer: "Não, obrigado" – e continuar crendo!

A escolha é sua!

INCREDULIDADE É DESOBEDIÊNCIA

E, quando chegaram para junto da multidão, aproximou-se dele um homem, que se ajoelhou e disse: Senhor, compadece-te de meu filho, porque é lunático e sofre muito; pois muitas vezes cai no fogo e outras muitas, na água. Apresentei-o a teus discípulos, mas eles não puderam curá-lo. Jesus exclamou: Ó geração incrédula e perversa! Até quando estarei convosco? Até quando vos sofrerei? Trazei-me aqui o menino. E Jesus repreendeu o demônio, e este saiu do menino; e, desde aquela hora, ficou o menino curado. Então, os discípulos, aproximando-se de Jesus, perguntaram em particular: Por que motivo não pudemos nós expulsá-lo? E ele lhes respondeu: Por causa da pequenez da vossa fé...

MATEUS 17.14-20

Lembre-se: a descrença conduz à desobediência.

Talvez Jesus tenha ensinado aos seus discípulos certas coisas a fazer naqueles casos, e descrença os tenha levado a desobedecer-Lhe; portanto, eles foram malsucedidos.

De qualquer forma, o ponto é que a descrença, como a dúvida, impedirá que façamos o que Deus nos chamou e ungiu para realizar na vida. Isso também nos impedirá de experimentar a sensação de paz que Ele quer que desfrutemos ao encontrarmos descanso para nossa alma nEle (Mateus 11.28,29).

O DESCANSO SABÁTICO

Esforcemo-nos [sejamos zelosos e nos empenhemos], pois, por entrar naquele descanso [de Deus, para conhecê-lo e experimentarmos por nós mesmos], a fim de que ninguém caia [nem pereça], segundo o mesmo exemplo de [descrença e] desobediência [na qual caíram os que estavam no deserto].

HEBREUS 4.11

Se você ler todo o capítulo 4 da carta aos Hebreus, verá que ele está falando sobre um repouso sabático que está à disposição do povo de Deus. Debaixo da Antiga Aliança, o sábado era observado como um dia de repouso. Debaixo da Nova Aliança, esse descanso sabático aqui referido é um lugar de descanso espiritual. É um privilégio de cada crente recusar preocupar-se ou ter ansiedade. Como crentes, podemos entrar no descanso de Deus.

Uma observação cuidadosa de Hebreus 4.11 revela que só entraremos naquele descanso crendo, e seremos privados dele pela descrença e pela desobediência. A desobediência nos manterá em um "viver desértico", mas Jesus providenciou um lugar permanente de descanso, que pode ser habitado apenas se vivermos pela fé.

VIVENDO DE FÉ EM FÉ

> *Visto que a justiça de Deus se revela no evangelho, de fé em fé, como está escrito: o justo viverá por fé.*
>
> ROMANOS 1.17

Lembro-me de um incidente que pode ilustrar esse ponto com muita clareza. Certa noite, estava andando pela minha casa tentando fazer alguns serviços domésticos e estava muito infeliz. Não tinha nenhuma alegria – não havia paz no meu coração. Ficava perguntando ao Senhor: "O que está errado comigo?" Frequentemente me sentia daquela maneira e, sinceramente, queria saber qual era meu problema. Estava tentando seguir todas as coisas que estava aprendendo em minha caminhada com Jesus, mas alguma coisa certamente parecia estar faltando.

A essa altura o telefone tocou. Enquanto estava conversando, dava uma olhada em uma caixa de cartões de versículos bíblicos que alguém me havia mandado. Na verdade, não estava olhando para nenhum deles, apenas mexendo neles enquanto estava ao telefone. Quando desliguei, decidi escolher um ao acaso para ver se conseguiria algum encorajamento.

Tirei Romanos 15.13: *E o Deus da esperança vos encha de todo o gozo e paz no vosso crer [através da experiência da vossa fé], para que sejais ricos [e abundantes] de esperança no poder do Espírito Santo.*

Eu vi!

Todo o meu problema era a dúvida e a descrença. Estava fazendo a mim mesma infeliz por acreditar nas mentiras do diabo. Estava sendo negativa. Não poderia ter alegria e paz porque não estava crendo. É impossível ter alegria e paz e viver em descrença.

Tome a decisão de acreditar em Deus e não no diabo!

Aprenda a viver de fé em fé. De acordo com Romanos 1.17, essa é a maneira como a justiça de Deus é revelada. O Senhor precisou revelar-me que, em vez de viver de fé em fé, eu vivia frequen-

Capítulo 11

temente de fé em dúvida e descrença. Então voltava à fé por um pouco e mais tarde retornava à dúvida e à descrença. Ia para trás e para a frente, de uma à outra. Por isso estava tendo tanto problema e infelicidade em minha vida.

Lembre-se: de acordo com Tiago 1.7-8, o homem de ânimo dobre é instável em todos os seus caminhos e jamais recebe o que ele quer do Senhor. Decida que você não será de ânimo dobre; não viva na dúvida!

Deus tem uma grande vida planejada para você. Não permita que o diabo a roube com mentiras, em vez disso, ...*[refutai argumentos e teorias e racionalismo] e toda altivez que se levante contra o [verdadeiro] conhecimento de Deus, ...levando cativo todo pensamento [e propósito] à obediência de Cristo [o Messias, o Ungido]. (2 Coríntios 10.5.)*

Capítulo 12

Uma Mente Ansiosa e Preocupada

Deixa a ira, abandona o furor; não te impacientes.
SALMOS 37.8

A ansiedade e a preocupação são ataques à mente que pretendem nos desviar a atenção de servir ao Senhor. O inimigo também usa esses tormentos ara empurrar nossa fé para baixo; assim ela não pode aumentar e nos ajudar a viver em vitória.

Algumas pessoas têm tal problema com a preocupação que poderia até mesmo ser dito que elas são viciadas em preocupação. Se elas não têm alguma coisa pessoal com o que se preocupar, elas se preocuparão com a situação de outra pessoa. Eu tinha esse problema, por isso estou bem qualificada para descrevê-lo.

Como estava constantemente me preocupando a respeito de alguma coisa, jamais desfrutei a paz pela qual Jesus morreu para que a tivesse.

É absolutamente impossível preocupar-se e viver em paz ao mesmo tempo.

Paz não é alguma coisa que pode ser colocada em uma pessoa; é um fruto do Espírito (Gálatas 5.22), e fruto é o resultado de permanecer na videira (João 15.4). Permanecer refere-se a entrar no "descanso de Deus", relatado no capítulo 4 de Hebreus, como também em outros lugares da Palavra de Deus.

Há diversas palavras na Bíblia que se referem à preocupação, dependendo da tradução que você estiver lendo. A Versão *King James* não usa a palavra "preocupação". Além de "não te impacientes" (Salmo 37.8), outras frases padrão usadas para nos advertir contra a preocupação são: "não andeis ansiosos" (Mateus 6.25), "não andeis ansiosos de coisa alguma" (Filipenses 4.6) e "lançando... toda a vossa ansiedade" (1 Pedro 5.7). Geralmente uso a *Amplified Bible*, que inclui diversas versões diferentes e outras frases que se referem ao assunto. Para simplificar o ensino no restante deste capítulo, vou me referir a essa situação como "preocupação".

PREOCUPAÇÃO DEFINIDA

O dicionário Webster define preocupação como se segue: " – vi.1. Sentir-se apreensivo ou inquieto... – vt. 1. Fazer alguém sentir-se ansioso, angustiado ou inquieto... – s. 2. Uma fonte de inquietação contínua".[1] Também ouvi essa palavra definida como atormentar-se com pensamentos perturbadores.

Quando vi a parte sobre atormentando-se com pensamentos perturbadores, decidi, imediatamente, que sou mais esperta do que isso. Acredito que cada cristão é. Penso que os crentes têm mais sabedoria além de sentar-se por aí e atormentar-se.

A preocupação, certamente, jamais torna qualquer coisa melhor, então por que não desistir dela?

Outra parte da definição também me esclareceu: "Agarrar pela garganta com os dentes e sacudir ou lacerar, como um animal faz a um outro, ou fustigar por meio de repetidas mordidas ou dentadas".[2]

Refletindo nessa definição, fiz a seguinte correlação – o diabo usa a preocupação para fazer conosco precisamente o que está descrito acima. Quando temos uma luta com a preocupação, mesmo por umas poucas horas, é exatamente assim que nos sentimos – como se alguém nos tivesse apanhado pela garganta e nos sacudido até ficarmos completamente exaustos e dilacerados. A repetição de pensamentos que vêm e não nos deixam é como as repetidas mordidas e dentadas descritas na definição.

A preocupação é definitivamente um ataque de Satanás à mente. Há certas coisas que o crente é instruído a fazer com sua mente e que o inimigo quer se assegurar de que elas jamais sejam feitas. Consequentemente, o diabo tenta manter a arena mental suficientemente ocupada com os tipos errados de pensamentos de forma tal que a mente nunca se liberta para ser usada para o propósito para o qual Deus a planejou.

Discutiremos as coisas certas a fazer com a mente no próximo capítulo, mas agora deixe-me continuar nosso estudo sobre a preocupação até termos a revelação total de quão inútil ela realmente é.

Mateus 6.25-34 é uma excelente passagem para ler quando sentirmos um "ataque de preocupação" vindo. Vamos examinar cada um desses versos separadamente para ver o que o Senhor está nos dizendo sobre esse assunto vital.

NÃO É A VIDA MAIOR DO QUE AS COISAS?

> *Por isso, vos digo: não andeis [perpetuamente] ansiosos (inquietos e preocupados) pela vossa vida, quanto ao que haveis de comer ou beber; nem pelo vosso corpo, quanto ao que haveis de vestir. Não é a vida [qualitativamente] mais do que o alimento, e o corpo, mais [muito acima e mais excelente] do que as vestes?*
>
> MATEUS 6.25

O propósito da vida é ser de tão alta qualidade que a desfrutemos imensamente. Em João 10.10, Jesus disse: *O ladrão vem somente para*

Capítulo 12

roubar, matar e destruir; eu vim para que tenham [e desfrutem da] vida e a tenham em abundância [completa, até que transborde]. Satanás tenta nos roubar essa vida de muitas maneiras – uma delas é por meio da preocupação.

Mateus 6.25 nos ensina que não há nada na vida com o que nos devamos preocupar – nenhum aspecto dela! A qualidade de vida que Deus providenciou para nós é suficientemente grande para incluir todas essas coisas, mas, se nos preocupamos sobre as coisas, então as perdemos, como também a vida que Deus quis que tivéssemos.

NÃO É VOCÊ MAIS VALIOSO DO QUE UM PASSARINHO??

Observai as aves do céu: não semeiam, não colhem, nem ajuntam em celeiros; contudo, vosso Pai celeste as sustenta. Porventura, não valeis vós muito mais do que as aves?

MATEUS 6.26

Poderia fazer bem a todos nós gastarmos algum tempo observando as aves. Foi isso que nosso Senhor nos disse para fazer.

Se não todo dia, pelo menos de vez em quando precisamos tirar um tempo para observar e lembrar a nós mesmos como nossos amigos de penas são bem cuidados. Eles, literalmente, não sabem de onde virá sua próxima refeição; apesar disso, jamais vi um pássaro sentado num galho de árvore tendo um esgotamento nervoso por causa de preocupação.

O que o Mestre quer dizer aqui é, na verdade, muito simples: *Porventura, não valeis vós muito mais do que as aves?*

Mesmo que esteja lutando com uma auto-imagem pobre, com certeza você pode acreditar que é mais valioso do que um pássaro e ver como seu Pai celestial toma conta deles tão bem.

Uma Mente Ansiosa e Preocupada

O QUE VOCÊ GANHA POR SE PREOCUPAR?

> Qual de vós, [por se preocupar e] por ansioso que esteja, pode acrescentar um côvado [à sua estatura ou] ao curso da sua vida?
>
> MATEUS 6:27

O ponto principal rapidamente entendido é que a preocupação é inútil. Não realiza nada de bom. Se é assim, então por que preocupar-se, por que ficar ansioso?

POR QUE FICAR TÃO ANSIOSO?

> E por que andais ansiosos quanto ao vestuário? Considerai como crescem os lírios do campo [e aprendam inteiramente como eles crescem]: eles não trabalham, nem fiam. Eu, contudo, vos afirmo que nem Salomão, em toda a sua glória (excelência, dignidade e graça), se vestiu como qualquer deles. Ora, se Deus veste assim a erva do campo, que hoje existe e amanhã é lançada no forno, quanto mais [vestirá] a vós outros, homens de pequena fé?
>
> MATEUS 6.28-30

Usando a ilustração de uma de suas criações, o Senhor assinala que se uma flor, que nada faz, pode ser tão bem cuidada e é tão bonita que excede em brilho até mesmo a Salomão com toda a sua majestade, então, com certeza, podemos acreditar que receberemos cuidado e provisão.

PORTANTO, NÃO SE PREOCUPE NEM FIQUE ANSIOSO!

> Portanto, não vos inquieteis [nem fiqueis ansiosos], dizendo: Que comeremos? Que beberemos? Ou: Com que nos vestiremos?
>
> MATEUS 6.31

Gosto de ampliar esse versículo mais um pouco e incluir mais uma pergunta: "O que vamos fazer"?

Penso que Satanás envia demônios, cujo trabalho é fazer nada mais do que repetir essa frase nos ouvidos do crente o dia inteiro. Eles disparam perguntas difíceis, e o crente gasta seu precioso tempo tentando encontrar uma resposta. O diabo está constantemente deflagrando guerra no campo de batalha da mente, esperando enganar os cristãos em lutas longas, infindáveis e custosas.

Note aquela parte do versículo 31 em que o Senhor nos instrui a não nos preocuparmos nem ficarmos ansiosos. Lembre-se de que a boca fala aquilo de que o coração está cheio (Mateus 12.34). O inimigo sabe que se ele puder deixar suficientes coisas erradas circulando em nossa mente, elas finalmente acabarão saindo da nossa boca. Nossas palavras são importantes porque elas confirmam nossa fé — ou, em algumas ocasiões, nossa falta de fé.

BUSQUE A DEUS, NÃO AOS PRESENTES

> *Porque os gentios (pagãos) é que procuram [diligentemente e desejam ardentemente] todas estas coisas; pois vosso Pai celeste sabe que necessitais de todas elas. Buscai [tende como objetivo e esforçai-vos], pois, em primeiro lugar, o seu reino e a sua justiça [a sua maneira de fazer e ser correto], e todas estas coisas vos serão acrescentadas.*
>
> MATEUS 6.32,33

Está claro que os filhos de Deus não devem ser como o mundo! O mundo busca coisas, mas nós buscamos ao Senhor. Ele nos prometeu que, se fizermos isso, ele nos acrescentará as coisas que sabe de que precisamos.

Devemos aprender a buscar a face de Deus, e não a sua mão!

Nosso Pai celeste se deleita em dar aos seus filhos boas coisas, mas apenas se não estivermos correndo atrás delas.

Uma Mente Ansiosa e Preocupada

Deus sabe do que precisamos antes que O peçamos. Se simplesmente fizermos nossos pedidos conhecidos dEle (Filipenses 4.6), ele os tornará realidade em seu tempo próprio e adequado. A preocupação não nos ajudará de jeito nenhum. Na verdade, ela retardará nosso progresso.

VIVA UM DIA DE CADA VEZ

Portanto, não vos inquieteis com o dia de amanhã, pois o amanhã trará os seus cuidados [e ansiedades]; basta ao dia o seu próprio mal.

MATEUS 6.34

Gosto de descrever a preocupação ou a ansiedade como gastar o dia de hoje tentando saber como será o de amanhã. Vamos aprender a usar o tempo que Deus nos tem dado para aquilo que ele planejou.

A vida é para ser vivida – aqui e agora!

Infelizmente, muito poucas pessoas sabem como viver cada dia em sua plenitude. Mas você pode ser um desses. Jesus disse que Satanás, o inimigo da nossa alma, vem para roubar a sua vida (João 10.10). Não permita que ele faça isso nunca mais! Não gaste o dia de hoje preocupando-se sobre o amanhã. Você tem coisas suficientes acontecendo hoje; isso precisa de toda a sua atenção. A graça de Deus está sobre você para que você lide com qualquer necessidade sua hoje, mas a graça de amanhã não virá antes que o amanhã chegue – então, não desperdice o dia de hoje!

NÃO ANDE ANSIOSO NEM SE INQUIETE

Não andeis [inquietos nem] ansiosos de coisa alguma; em tudo, porém, sejam conhecidas, diante de Deus, as vossas petições, pela oração e pela

Capítulo 12

súplica (pedidos específicos), com ações de graças [continuai a fazer seus desejos serem conhecidos de Deus].

FILIPENSES 4.6

Esse é outro bom versículo para se ter em mente quando vier um "ataque de preocupação". Recomendo enfaticamente falar a Palavra de Deus com a boca. É uma espada de dois gumes que precisa ser brandida contra o inimigo (Hebreus 4.12; Efésios 6.17). Uma espada na sua bainha não fará bem algum durante um ataque.

Deus nos deu sua Palavra, *use-a!* Aprenda versículos como esses, e quando o inimigo atacar contra-ataque-o com a mesma arma que Jesus usou: a Palavra!

LANCE FORA A RACIONALIZAÇÃO

Refutando [argumentos e teorias e racionalizações e] toda altivez [e superioridade] que se levante contra o [verdadeiro] conhecimento de Deus, e levando cativo todo pensamento à obediência de Cristo (o Messias, o Ungido).

2 CORÍNTIOS 10.5

Quando os pensamentos que lhe estão sendo oferecidos não concordam com a Palavra de Deus, a melhor maneira para calar a boca do diabo é repetir a Palavra.

A Palavra, saindo da boca de um crente, com fé para respaldá-la, é a mais efetiva arma que pode ser usada para ganhar a guerra contra a preocupação e a ansiedade.

LANCE SEUS CUIDADOS SOBRE DEUS

Humilhai-vos [rebaixai-vos, descei em vossa própria avaliação], portanto, sob a poderosa mão de Deus, para que ele, em tempo oportuno, vos exalte.

> *Lançando sobre ele toda a vossa ansiedade [todos os vossos cuidados, todas as vossas preocupações, todos os vossos interesses], porque ele tem cuidado de vós [com afeição e toma conta de vós vigilantemente].*
>
> I Pedro 5.6-7

Quando o inimigo tenta nos dar um problema, temos o privilégio de poder lançá-lo sobre Deus. A palavra "lançar", na verdade, significa jogar ou arremessar. Podemos jogar ou arremessar nossos problemas para Deus e, creia-me, ele pode pegá-los. Ele sabe o que fazer com eles.

Essa passagem nos permite saber que humilhar-se significa não se preocupar. A pessoa que se preocupa ainda pensa que ela pode, de alguma maneira, resolver seu próprio problema. A preocupação é a mente correndo de um lado para o outro, tentando encontrar uma solução para sua situação. O homem orgulhoso é cheio de si, enquanto o homem humilde é cheio de Deus. O homem orgulhoso se preocupa; o homem humilde espera.

Apenas Deus pode nos libertar, e Ele quer que saibamos disso, para que em cada situação nossa primeira resposta seja nos apoiarmos nEle e entrarmos no seu descanso.

O DESCANSO DE DEUS

> *Ah! Nosso Deus, acaso, não executarás tu o teu julgamento contra eles? Porque em nós não há força para resistirmos a essa grande multidão que vem contra nós, e não sabemos nós o que fazer; porém os nossos olhos estão postos em ti.*
>
> 2 Crônicas 20.12

Amo esse versículo! O povo a quem ele se refere havia atingido o ponto de perceber três coisas como certas:

1. Eles não tinham poder contra seus inimigos.
2. Eles não sabiam o que fazer.
3. Eles precisavam ter seus olhos fixos em Deus.

Nos versos 15 e 17 da mesma passagem, vemos o que o Senhor lhes disse quando eles atingiram essa percepção e, de boa vontade, a admitiram diante de Deus:

... Não temais, nem vos assusteis por causa desta grande multidão, pois a peleja não é vossa, mas de Deus...
Neste encontro, não tereis de pelejar; tomai posição, ficai parados e vede o salvamento que o Senhor vos dará...

Qual é a nossa posição? É a de permanecer em Jesus e entrar no descanso de Deus. É a de esperar no Senhor continuamente, com os olhos fixos nele, fazendo o que ele nos direciona a fazer e, por outro lado, tendo o "temor reverente" de nos movermos na carne.

No que diz respeito ao descanso de Deus, gostaria de dizer isto: não há "o descanso de Deus" sem oposição.

Para ilustrar, compartilho com você uma história que ouvi certa vez, envolvendo dois artistas a quem pediram que pintassem quadros da paz da maneira como eles a percebiam. Um pintou um lago parado, calmo, bem atrás das montanhas. O outro pintou uma cachoeira impetuosa e espumejante sobre a qual se inclinava uma árvore com um pássaro repousando em um ninho em um de seus galhos.

Qual delas verdadeiramente retrata a paz? A segunda, porque não há paz sem oposição. O primeiro quadro representa estagnação. A cena representada pode ser serena; uma pessoa poderia ser motivada a ir lá para se convalescer. Ela pode oferecer uma bela imagem, mas não retrata "o descanso de Deus".

Jesus disse: *Deixo-vos a paz, a minha [própria] paz vos dou [e lego como herança]; não vo-la dou como a dá o mundo [...]* (João 14:27). Sua paz é espiritual, e seu descanso é aquele que funciona durante a tempestade – não na ausência dela. Jesus não veio para remover toda a oposição da nossa vida, antes pelo contrário, veio para nos dar um enfoque diferente das tempestades da vida. Devemos tomar sobre nós o seu jugo e aprender dEle (Mateus 11.29). Isso significa que devemos aprender seus caminhos para enfrentar a vida da mesma maneira que Ele enfrentou.

Jesus não se preocupava, e nós também não temos de nos preocupar!

Se você está esperando não ter nada com que se preocupar para parar de se preocupar, então, provavelmente, eu devesse lhe dizer que você terá de esperar um longo tempo, porque esse tempo pode *jamais* chegar. Não estou sendo negativa, estou sendo honesta! Mateus 6.34 sugeriu que não nos preocupássemos com o dia de amanhã porque cada dia terá suas próprias e suficientes preocupações. O próprio Jesus disse isso, e Ele certamente não era negativo. Estar em paz, desfrutar o descanso de Deus em meio à tempestade, dá mais glória ao Senhor porque prova que seu método funciona.

PREOCUPAÇÃO, PREOCUPAÇÃO, PREOCUPAÇÃO

Desperdicei anos da minha vida me preocupando com coisas sobre as quais não podia fazer nada. Gostaria de ter aqueles anos de volta e ser capaz de encará-los de maneira diferente. Entretanto, uma vez que você tenha gasto o tempo que Deus lhe deu, é impossível consegui-lo de volta e fazer as coisas de um jeito diferente.

Meu marido, por outro lado, jamais se preocupou. Houve um tempo em que ficava zangada com ele porque ele não se preocupava comigo – e se juntava a mim para falar sobre todas as possibilidades sombrias se Deus não se fizesse presente e satisfizesse nossas neces-

Capítulo 12

sidades. Sentava-me na cozinha, por exemplo, e despejava as contas e talões de cheques, ficando mais descontrolada naquele momento, porque as contas eram mais do que o dinheiro. Dave ficava no cômodo próximo brincando com as crianças, vendo televisão enquanto elas pulavam-lhe nas costas e punham-lhe rolos no cabelo.

Lembro-me de lhe ter dito em tom desagradável: "Por que você não vem aqui e faz alguma coisa em vez de ficar brincando enquanto tento resolver esta bagunça"! Quando ele respondia com "O que você quer que faça"? jamais podia pensar em outra coisa; deixava-me irritada o fato de que ele ousasse se divertir enquanto eu estava enfrentando uma situação financeira tão desesperadora.

Dave me acalmava lembrando-me de que Deus tinha sempre satisfeito nossas necessidades, que nós estávamos fazendo nossa parte (que era dando o dízimo, ofertas, orando e confiando) e que o Senhor continuaria a fazer a parte dele. Devo esclarecer que Dave estava confiando enquanto eu estava me preocupando. Ia para a sala com ele e as crianças, e um pouquinho mais tarde os pensamentos voltavam a se mover em minha mente: "Mas o que vamos fazer? Como vamos pagar essas contas? E se..."

E, então, veria todos esses desastres na tela de cinema da minha imaginação – execução da hipoteca, apreensão do carro, embaraço na frente de parentes e amigos se tivéssemos de pedir ajuda financeira, e assim por diante. Você já assistiu a esse "filme" ou teve todos esses tipos de pensamentos se revolvendo em sua mente constantemente? Claro que sim, do contrário você, provavelmente, não estaria lendo este livro.

Depois de acolher os pensamentos que o diabo estava me oferecendo por uns instantes, voltava para a cozinha, pegava todas as contas, a calculadora e o talão de cheques e começava toda a confusão outra vez. Quanto mais fazia, mais irritada ficava. Então, repetia a mesma cena! Gritava porque Dave e as crianças estavam se divertindo enquanto eu estava carregando toda a "responsabilidade"!

Na verdade, o que estava experimentando não era responsabilidade, era cuidado – algo que Deus havia me dito especificamente para lançar sobre Ele.

Olho para trás e vejo que desperdicei todas aquelas noites que Deus me deu nos primeiros anos do meu casamento. O tempo que Ele nos dá é um precioso presente. Mas eu o dei ao diabo. Seu tempo é seu mesmo. Use-o com sabedoria; você não passará por esse caminho outra vez.

Deus satisfez todas as nossas necessidades, e ele o fez de diferentes maneiras. Ele jamais nos desaponta – uma única vez sequer. Deus é fiel!

NÃO SE PREOCUPE – CONFIE EM DEUS

> *Seja a vossa vida [seu caráter ou disposição moral] sem avareza [sem amor ao dinheiro, incluindo ganância, avidez, luxúria e desejo ardente de posses terrenas]. Contentai-vos com as coisas que tendes [circunstâncias e posses]; porque ele [o próprio Deus] tem dito: De maneira alguma te deixarei [nem te falharei, nem te deixarei sem suporte], nunca, jamais [nunca, nunca, nunca, em qualquer nível te deixarei sem ajuda] te abandonarei [nem desapontarei, nem relaxarei a minha mão de sobre ti]! [Com toda a certeza não!]*
>
> HEBREUS 13.5

Essa é uma excelente passagem a ser usada para encorajar a você mesmo quando tiver preocupação sobre se Deus se fará presente ou não e se satisfará suas necessidades.

Nessa passagem o Senhor está nos avisando que não precisamos ter nossa mente no dinheiro, imaginando como tomaremos conta de nós, porque Ele tomará conta dessas coisas por nós. Ele prometeu nunca falhar e nunca nos abandonar.

Faça a sua parte, mas não tente fazer a parte de Deus. A carga é muito pesada para carregar – e, se você não for cuidadoso, você se quebrará sob o peso dela.

Não se preocupe. *Confia (inclina-te sobre, acredita, tem confiança) no Senhor e faze o bem; [então] habita na terra e alimenta-te da verdade [e serás verdadeiramente alimentado].* (Salmos 37.30).

Capítulo 13

Uma Mente Julgadora, Crítica e Desconfiada

Não julgueis, para que não sejais julgados.

MATEUS 7.1

Muitos tormentos vêm à vida das pessoas por causa de atitudes de julgamento, de crítica e de desconfiança. Multidões de relacionamentos são destruídos por esses inimigos. Uma vez mais a mente é o campo de batalha.

Pensamentos – apenas "eu penso" – podem ser a ferramenta que o diabo usa para manter uma pessoa solitária. As pessoas não gostam de estar perto de alguém que precisa dar uma opinião sobre tudo.

Para ilustrar, certa vez conheci uma mulher cujo marido era um empresário muito rico. Ele era geralmente muito calmo, e ela queria que ele falasse mais. Ele sabia bastante sobre muitas coisas. Ela ficava zangada com ele quando eles estavam em um grupo de pessoas e alguém começava uma conversa sobre um assunto com o qual seu marido poderia ter contribuído inteligentemente. Ele poderia ter-lhes dito tudo o que sabia, mas não o fazia.

Certa noite, depois que ele e sua esposa haviam retornado de uma festa, ela o repreendeu dizendo: "Por que você disse àquelas pessoas o que você sabia sobre o que eles estavam conversando? Você só ficou lá e agiu como se não soubesse coisa alguma"!

"Eu já sei o que sei", ele respondeu. "Tento ficar quieto e ouvir, assim eu posso descobrir o que os outros sabem".

Entendi que era exatamente por isso que ele era rico. Ele também era sábio! Poucas pessoas conseguem riqueza sem sabedoria. E poucas pessoas têm amigos sem usar sabedoria em seus relacionamentos.

Ser rápido para julgar, ser opiniático e ser crítico são, com certeza, três maneiras de ver um relacionamento se dissolver. Satanás, com certeza, quer que sejamos rejeitados, então ele ataca nossa mente nessas áreas. Este capítulo, espero, nos ajudará a reconhecer padrões errados de pensamento como também a aprender como lidar com a dúvida.

O JULGAR DEFINIDO

No *Dicionário Expositivo das Palavras do Novo Testamento*, de Vine, uma das palavras gregas traduzidas como *julgamento* é parcialmente definida como "uma decisão sobre as faltas dos outros" e contém uma referência cruzada à palavra "condenação."[1] De acordo com a mesma fonte, uma das palavras gregas traduzidas como *julgar* é parcialmente definida como "formar uma opinião" e contém uma referência cruzada à palavra "sentença."[2]

Deus é o único que tem o direito de condenar ou sentenciar, portanto, quando fazemos um julgamento sobre alguém, estamos, de certo modo, nos colocando como Deus na vida dessa pessoa.

Não sei sobre você, mas isso coloca um pequeno "medo divino" em mim. Sou bastante ousada, mas não estou interessada em tentar ser Deus! Essas áreas foram, no passado, um problema sério

Uma Mente Julgadora, Crítica e Desconfiada

em minha personalidade, e acredito que serei capaz de dividir algumas coisas que Deus tem me ensinado que o ajudarão.

Crítica, opiniões e julgamento parecem ser parentes, então vamos discuti-los juntos como um problema gigante.

Eu era crítica porque sempre parecia ver o que estava errado em vez de ver o que estava certo. Algumas personalidades são mais propensas a essa falha do que outras. Alguns tipos de personalidades mais joviais não querem ver nada, exceto as coisas "felizes e divertidas" da vida, então eles não prestam muita atenção nas coisas que poderiam arruinar seu prazer. A personalidade mais melancólica ou a personalidade controladora frequentemente vê o que é errado primeiro; geralmente as pessoas com esse tipo de personalidade são generosas em compartilhar suas opiniões negativas e pontos de vista com os outros.

Devemos perceber que temos nossa própria maneira de ver as coisas. Gostamos de dizer às pessoas o que pensamos, e esse é exatamente o ponto – o que eu penso pode ser certo para mim, mas não necessariamente certo para você, e vice-versa. Com certeza sabemos que "não roubarás" é certo para todos, mas aqui estou falando de milhares de coisas que encontramos todo dia que não são necessariamente nem certas nem erradas, mas são simplesmente escolhas pessoais. Eu poderia acrescentar que essas são escolhas que as pessoas têm o direito de fazer por conta própria, sem interferência externa.

Eu e meu marido somos extremamente diferentes em nosso enfoque sobre muitas coisas. Decorar uma casa seria uma dessas coisas. Não é que não gostemos de qualquer coisa que o outro escolher, mas, se sairmos para fazer compras de coisas de casa juntos, sempre parece que Dave gosta de uma coisa e eu de outra. Por quê? Simplesmente porque somos duas pessoas diferentes. A opinião dele é tão boa quanto a minha, e a minha é tão boa quanto a dele; elas são simplesmente diferentes.

Capítulo 13

Levou anos para que eu entendesse que não havia nada errado com Dave só porque ele não concordava comigo. E, claro, geralmente eu o deixava saber que achava que havia alguma coisa errada com ele por não compartilhar minha opinião. Obviamente minha atitude causou muito atrito entre nós e machucou nosso relacionamento.

ORGULHO: UM PROBLEMA DO "EU"

Digo a cada um dentre vós que não [se valorize nem] pense de si mesmo além do que convém [não tenha uma opinião exagerada de sua própria importância]; antes, pense com moderação [avalie sua habilidade com julgamento sóbrio], segundo a medida da fé que Deus repartiu a cada um.

ROMANOS 12.3

Julgamento e crítica são frutos de um problema mais profundo – orgulho. Quando o "eu" em nós é maior do que deveria ser, ele sempre causará os tipos de problemas que estamos discutindo. A Bíblia repetidamente nos adverte sobre sermos presunçosos.

Sempre que nos superamos em uma área é apenas porque Deus nos deu um presente de graça por isso. Se formos presunçosos ou tivermos uma opinião exagerada de nós mesmos, então isso nos levará a desprezar os outros e a avaliá-los como "menos" do que somos. Esse tipo de atitude ou pensamento é extremamente detestável ao Senhor e abre muitas portas ao inimigo em nossa vida.

TEMOR SANTO

Irmãos, se alguém for surpreendido nalguma falta [ou pecado de qualquer natureza], vós, que sois espirituais [que sois responsivos ao Espírito Santo e controlados por ele], corrigi-o [e restaurai-o e reintegrai-o sem qualquer senso de superioridade e] com espírito de brandura; e guardai-vos [mantende um olho atento para vós mesmos] para que não sejais também tentados.

Uma Mente Julgadora, Crítica e Desconfiada

> *Levai [suportai, carregai] as cargas [e as falhas morais e incômodas] uns dos outros e, assim, cumprireis [e observareis perfeitamente] a lei de Cristo [o Messias e completareis o que está faltando em obediência a ele]. Porque, se alguém [qualquer pessoa] julga ser alguma coisa [muito importante para condescender em sustentar o fardo de outrem], não sendo nada, a si mesmo se engana [e se ilude].*
>
> GÁLATAS 6.1-3

Um exame cuidadoso dessa passagem revela-nos rapidamente como devemos agir em relação à fraqueza que observamos nos outros. Ela demonstra a atitude mental que devemos manter dentro de nós mesmos. Devemos ter um "temor santo" do orgulho e devemos ser cuidadosos com o julgar os outros ou ser críticos com eles.

QUEM SOMOS NÓS PARA JULGAR?

> *Quem és tu que julgas [e censuras] o servo alheio? Para o seu próprio senhor está em pé ou cai; mas estará em pé [e será sustentado], porque o Senhor [o Mestre] é poderoso para o suster [e fazê-lo ficar em pé].*
>
> ROMANOS 14.4

Pense desta forma: digamos que sua vizinha viesse à sua porta e começasse a instruí-lo sobre o que seus filhos deveriam vestir para a escola e quais as matérias ela achava que eles deveriam fazer. Como você reagiria? Ou suponha que sua vizinha lhe dissesse que ela não gostava do jeito como sua empregada (com a qual você está muito satisfeita) limpava sua casa. O que você diria à sua vizinha?

Esse é exatamente o ponto que esta passagem está assinalando. Cada um de nós pertence a Deus, e mesmo que tenhamos fraquezas ele é capaz de nos fazer ficar em pé e nos justificar. Damos conta a Deus, não uns aos outros; portanto, não devemos julgar um ao outro de maneira crítica.

O diabo fica muito ocupado designando demônios para colocar pensamentos de julgamento e de crítica na mente das pessoas. Eu posso me lembrar de quando era divertido para mim sentar-me em um parque ou no shopping e simplesmente olhar todas as pessoas passarem enquanto eu formava uma opinião mental de cada uma delas: a roupa, o estilo de cabelo, a companhia, etc. Agora, não podemos nos impedir de ter opiniões, mas não precisamos expressá-las. Creio que podemos até mesmo crescer a ponto de não termos tantas opiniões, e aquelas que tivermos não sejam de natureza crítica.

Frequentemente digo a mim mesma: "Joyce, não é da sua conta". Um grande problema é tramar em sua mente quando você reflete sobre sua opinião até que ela se torne um julgamento. Quanto mais você pensa sobre o problema, mais ele cresce até que você começa expressá-lo aos outros ou mesmo àquele que você está julgando. Então ele se tornou explosivo e tem a habilidade de fazer um enorme mal na área do relacionamento, como também na área espiritual. Você pode ser capaz de evitar problemas futuros para você mesmo simplesmente aprendendo a dizer: "Não é da minha conta".

Julgamento e crítica eram desenfreados em minha família, então, "cresci com eles", por assim falar. Quando esse é o caso – como pode ser com você –, é como tentar jogar bola com uma perna quebrada. Eu estava tentando "jogar bola" com Deus; eu queria fazer as coisas do jeito dEle, pensar e agir do jeito dEle, mas não podia. Levou anos de infelicidade até que eu aprendesse sobre as fortalezas em minha mente com as quais eu precisava lidar antes que meu comportamento pudesse mudar.

Lembre-se: suas ações não vão mudar até que sua mente mude.

Mateus 7.1-6 é uma passagem bíblica clássica sobre esse assunto de julgamento e crítica. Quando você estiver tendo problema com sua mente nessa área, leia essas e outras passagens. Leia-as, leia-as de novo em voz alta e use-as como armas contra o diabo, que está tentando construir uma fortaleza em sua mente. Ele pode estar operando por meio de uma fortaleza que já está lá por muitos anos.

Vamos estudar essa passagem, e vou comentá-la parte por parte enquanto a percorremos.

SEMEANDO E COLHENDO JULGAMENTO

> Não julgueis [e critiqueis e condeneis os outros], para que não sejais julgados [e criticados e condenados vós mesmos]. Pois, com o critério com que julgardes [e criticardes e condenardes os outros], sereis julgados [e criticados e condenados]; e, [de acordo] com a medida com que tiverdes medido [os outros], vos medirão também.
>
> MATEUS 7.1,2

Essa passagem diz-nos claramente que colheremos o que plantarmos (Gálatas 6.7). Semear e colher não se aplica apenas às áreas agrícola e financeira, aplicam-se também à área mental. Podemos semear e colher uma atitude da mesma forma que uma plantação ou um investimento.

Um pastor que conheço diz que, quando ele ouve que alguém falou dele de forma maldosa e com julgamento, ele se pergunta: "Eles estão semeando ou eu estou colhendo"? Muitas vezes estamos colhendo em nossa vida o que semeamos anteriormente na vida de outra pessoa.

MÉDICO, CURA-TE A TI MESMO!

> Por que vês [e olhas fixamente] tu o argueiro [minúsculo que está] no olho de teu irmão, porém não reparas [e meditas] na trave [de madeira] que está no teu próprio [olho]? Ou como dirás a teu irmão: Deixa-me tirar o [minúsculo] argueiro do teu olho, quando tens a trave no teu? Hipócrita! Tira primeiro a trave do teu [próprio] olho e, então, verás claramente para tirar o [minúsculo] argueiro do olho de teu irmão.
>
> MATEUS 7.3-5

Capítulo 13

O diabo ama manter-nos ocupados, julgando mentalmente as falhas dos outros. Dessa forma, jamais vemos ou lidamos com o que está errado em nós.

Não podemos mudar os outros; apenas Deus pode. Não podemos mudar a nós mesmos, mas podemos cooperar com o Espírito Santo e permitir que ele faça a parte dele. O primeiro passo para qualquer liberdade, entretanto, é encarar a verdade que o Senhor está tentando nos mostrar.

Quando temos nossos pensamentos e conversas focados no que está errado com todos os outros, estamos geralmente sendo enganados sobre nossa própria conduta. Portanto, Jesus ordenou que não nos preocupássemos com o que está errado com os outros, quando temos tantos erros com nós mesmos. Permita que Deus lide com você primeiro e, então, você aprenderá a forma bíblica de ajudar seu irmão a crescer em sua caminhada cristã.

AMAI-VOS UNS AOS OUTROS

Não deis aos cães o que é santo [as coisas sagradas],
nem lanceis ante os porcos as vossas pérolas,
para que não as pisem com os pés e, voltando-se, vos dilacerem.

MATEUS 7.6

Creio que essa passagem bíblica está se referindo à nossa habilidade dada por Deus para amar uns aos outros.

Temos uma habilidade e uma ordem de Deus para nos amarmos uns aos outros, mas em vez disso os julgamos e criticamos, tomamos algo santo (amor) e o jogamos para os cães e os porcos (espíritos demoníacos). Abrimos as portas para que eles sapateiem sobre as coisas santas e voltem e nos rasguem em pedaços.

Precisamos entender que "a caminhada do amor" é proteção para nós contra os ataques demoníacos. Não acredito que o diabo possa fazer muito mal a alguém que realmente anda em amor.

Uma Mente Julgadora, Crítica e Desconfiada

Quando fiquei grávida do nosso quarto filho, eu era uma cristã, batizada com o Espírito Santo, chamada para o ministério e uma diligente estudante da Bíblia. Havia aprendido a exercitar minha fé para a cura. Entretanto, durante os três primeiros meses da gravidez, fiquei com muito, muito enjôo. Perdi peso e energia. Passava a maior parte do meu tempo no sofá, nauseada e tão cansada que quase não podia me mexer.

A situação estava realmente me confundindo, uma vez que havia passado maravilhosamente bem durante minhas três outras gestações. Embora eu fosse à igreja, não conhecia muito da Palavra de Deus, então, não usava minha fé ativamente para nada. Agora, estava muito familiarizada com as promessas de Deus e mesmo assim estava doente – e nem mesmo muitas orações a Deus e repreensão ao diabo estavam removendo o problema!

Um dia, enquanto estava na cama ouvindo meu marido e meus filhos se divertindo no pátio atrás da casa, perguntei a Deus agressivamente: "O que está errado comigo? Por que estou tão enjoada? E por que não estou melhorando"?

O Espírito Santo me moveu a ler Mateus 7.1. Perguntei ao Senhor o que aquela passagem tinha a ver com a minha saúde. Continuei sentindo que deveria lê-la de novo e de novo. Finalmente Deus abriu minha memória para um evento que havia acontecido dois anos antes.

Eu havia dirigido um estudo bíblico doméstico ao qual compareceu uma jovem senhora a quem chamaremos de Jane. Jane frequentou o curso fielmente até que engravidou, mas então se tornou difícil para ela comparecer regularmente porque ela estava sempre cansada e se sentindo mal.

Enquanto estava deitada naquele dia, lembrei-me de que outra "irmã cristã" e eu tínhamos conversado sobre Jane, julgando-a e criticando-a porque ela não se esforçava nas suas circunstâncias e não era diligente em vir ao estudo bíblico. Jamais nos oferecemos para ajudá-la de qualquer maneira. Apenas formamos uma opinião de que ela era uma fraca e estava usando a gravidez como desculpa para ser preguiçosa e auto-indulgente.

Agora eu estava nas mesmas condições de Jane dois anos antes. Deus me mostrou que, embora eu tivesse sido saudável durante minhas primeiras três gestações, tinha aberto uma imensa porta para o diabo pelo meu julgamento e crítica. Eu tinha tomado minhas pérolas, a coisa santa (minha habilidade de amar Jane), jogado aos cães e porcos, e agora eles tinham voltado e estavam me rasgando em pedaços. Posso dizer-lhe, fui bastante rápida em me arrepender. Assim que o fiz, minha saúde foi restaurada e passei muito bem durante o tempo restante da minha gravidez.

Desse incidente aprendi uma importante lição sobre os perigos de julgar e criticar os outros. Gostaria de poder dizer que depois daquela experiência jamais cometi outro erro daquela natureza, mas sinto dizer que tenho cometido muitos e muitos erros desde então. Cada vez Deus tem precisado tratar comigo, pelo que Lhe sou agradecida.

Nós *todos* cometemos erros. Nós todos temos nossas fraquezas. A Bíblia diz que não devemos ter um coração duro, um espírito crítico de uns para com os outros, mas em vez disso devemos nos perdoar uns aos outros e mostrar misericórdia uns para com os outros, da mesma forma que Deus, por amor a Cristo, tem feito por nós (Efésios 4.32).

JULGAR TRAZ CONDENAÇÃO

Portanto, és indesculpável [não tens desculpa ou defesa ou justificação], ó homem, quando julgas, quem quer que sejas; porque, no que julgas [e passas sentença] a outro, a ti mesmo te condenas; pois [tu que julgas habitualmente] praticas as próprias coisas que condenas [e censuras e denuncias].

ROMANOS 2.1

Em outras palavras, nós fazemos exatamente as mesmas coisas pelas quais julgamos os outros.

O Senhor deu-me um exemplo muito bom certa vez para ajudar-me a entender esse princípio. Eu estava ponderando por que nós mesmos fazíamos alguma coisa e achávamos perfeitamente correto, mas julgávamos alguém que o fizesse. Ele disse: "Joyce: você se olha com óculos cor-de-rosa, mas olha para todos os outros com lentes de aumento".

Nós nos desculpamos por nosso comportamento, mas, quando alguém mais faz a mesma coisa que fazemos, frequentemente não mostramos misericórdia. Fazer aos outros o que queremos que eles nos façam (Mateus 7.12) é um bom princípio para a vida, o qual, se seguido, evitará muito julgamento e crítica.

Uma mente julgadora é um ramo de uma mente negativa – pensar sobre o que está errado com alguém em vez de pensar no que está certo.

Seja positivo, e não negativo!

Os outros se beneficiarão, mas você se beneficiará mais do que qualquer um.

GUARDE O SEU CORAÇÃO

Sobre tudo o que se deve guardar, guarda [e cuida com toda a vigilância] o teu coração, porque dele procedem as fontes da vida.

PROVÉRBIOS 4.23

Se você quer vida fluindo para você e de você, guarde seu coração.

Certos tipos de pensamentos são "impensáveis" para um crente – julgamento e crítica entre eles. Todas as coisas que Deus tenta nos ensinar são para nosso próprio bem e felicidade. Seguir o caminho de Deus traz fecundidade; seguir o caminho do diabo traz decadência.

Capítulo 13

SUSPEITE DA SUSPEITA

[O amor][...] tudo suporta [sob qualquer coisa e tudo que venha, está sempre pronto a acreditar no melhor de cada pessoa].

I Coríntios 13.7

Posso dizer honestamente que a obediência a esta passagem tem sempre sido um desafio para mim. Fui criada para ser desconfiada. Na verdade, fui ensinada a desconfiar de todos, especialmente se eles fingissem ser bons, porque deviam estar querendo alguma coisa.

Além de ser ensinada a desconfiar dos outros e dos seus motivos, tive várias experiências desapontadoras com pessoas não apenas antes de ter me tornado uma cristã ativa, mas depois disso também. Meditar nos componentes do amor e perceber que o amor sempre espera o melhor tem me ajudado grandemente a desenvolver uma nova forma de pensar.

Quando sua mente for envenenada ou quando Satanás ganhar fortalezas em sua mente, ela precisa ser renovada de acordo com a Palavra de Deus. Isso é feito aprendendo-se a Palavra e meditando (refletindo sobre ela, murmurando-a para você mesmo, pensando) nela.

Nós temos o maravilhoso Espírito Santo em nós para nos lembrar quando nossos pensamentos estiverem indo na direção errada. Deus faz isso por mim quando estou tendo pensamentos de desconfiança em vez de pensamentos amorosos. O homem natural pensa: "Se eu confiar nas pessoas, elas se aproveitarão de mim". Talvez, mas os benefícios superam de longe quaisquer experiências negativas.

Confiança e fé trazem alegria à vida e ajudam os relacionamentos a crescer até seu potencial máximo.

A suspeita mutila um relacionamento e geralmente o destrói.

A coisa mais importante a considerar é esta – os caminhos de Deus funcionam; os caminhos do homem, não. Deus condena o julgamento, a crítica e a suspeita, e da mesma maneira nós deveríamos fazê-lo. Ame o que Deus ama, odeie o que Deus odeia. Permita o que ele permite e rejeite o que ele rejeita.

Uma atitude equilibrada é sempre a melhor política. Isso não significa que não devamos usar sabedoria e discernimento em nossa conduta com os outros. Não precisamos abrir nossa vida a cada pessoa que encontrarmos, dando a cada uma a chance de nos triturar. Por outro lado, não precisamos olhar para todo mundo com um olho negativo e suspeito, sempre esperando que os outros se aproveitarão de nós.

CONFIE EM DEUS COMPLETAMENTE E NO HOMEM, DISCRETAMENTE

Estando ele em Jerusalém, durante a Festa da Páscoa, muitos, vendo os sinais [maravilhas e milagres] que ele fazia, creram no seu nome [identificaram-se com seu grupo]. Mas o próprio Jesus não se confiava a eles, porque os conhecia a todos [os homens]. E não precisava de que alguém lhe desse testemunho a respeito do homem [ele não precisava que ninguém lhe desse evidência sobre os homens], porque ele mesmo sabia o que era a natureza humana [ele podia ler os corações dos homens].

João 2.23-25

Certa vez, depois que fui envolvida em uma situação desapontadora na igreja, Deus trouxe João 2.23-25 à minha atenção.

Essa passagem fala do relacionamento de Jesus com seus discípulos. Ela diz claramente que Ele não se confiava a eles. Ela não diz que ele suspeitava deles ou que não tinha confiança neles; apenas explica que, como ele entendia a natureza humana (que nós todos temos), não se confiava a eles de forma desequilibrada.

Aprendi uma boa lição. Eu tinha sido machucada profundamente na situação da igreja porque eu tinha me envolvido demais com um grupo de senhoras e perdi o equilíbrio. Cada vez que perdemos o equilíbrio, abrimos a porta para o diabo.

A primeira carta de Pedro 5.8 diz: *Sede [bem equilibrados] sóbrios [de mente] e vigilantes [e cautelosos em todas as ocasiões]. [Porque] o diabo, vosso adversário, anda em derredor, como leão que ruge [com fome selvagem] procurando alguém para [agarrar e] devorar.*

Aprendi que estava me apoiando nas senhoras desse grupo e colocando nelas uma confiança que pertence apenas a Deus. Só podemos ir até aí em qualquer relacionamento humano. Se formos além da sabedoria, problemas surgirão e seremos machucados.

Sempre coloque sua confiança completa no Senhor. Assim fazendo, abrirá a porta para o Espírito Santo deixá-lo saber quando você está cruzando a linha do equilíbrio.

Algumas pessoas acham que têm discernimento quando, na verdade, são apenas desconfiadas. Há um verdadeiro dom do Espírito chamado de discernimento de espíritos. (1 Coríntios 12.10) Ele discerne o bom e o mau, não apenas o mau. A suspeita vem de uma mente não renovada; o discernimento vem de um espírito renovado.

Ore por dons verdadeiros – não por carne que se disfarça de dons do Espírito. O verdadeiro discernimento espiritual provocará oração, não fofoca. Se um problema genuíno está sendo discernido por um dom verdadeiro, esse seguirá o padrão divino para lidar com aquele, não formas carnais que apenas espalham e aumentam o problema.

PALAVRAS DOCES, AGRADÁVEIS E CURATIVAS

O coração do sábio é mestre de sua boca e aumenta [o conhecimento e] a persuasão nos seus lábios. Palavras agradáveis são como favo de mel: doces para a alma e medicina para o corpo.

PROVÉRBIOS 16.23,24

Uma Mente Julgadora, Crítica e Desconfiada

Palavras e pensamentos são como osso e medula – tão próximos que é difícil dividi-los (Hebreus 4.12).

Nossos pensamentos são palavras silenciosas que apenas nós e o Senhor ouvimos, mas tais palavras afetam nosso homem interior, nossa saúde, nossa alegria e nossa atitude. As coisas que frequentemente pensamos saem da nossa boca. E, é triste dizer, algumas vezes elas nos fazem parecer tolos. Julgamento, crítica e suspeita nunca trazem alegria.

Jesus disse que ele veio para que tivéssemos e desfrutássemos a vida (João 10.10). Comece a operar na mente de Cristo e você penetrará num novo estado de vida.

Capítulo 14

Uma Mente Passiva

O meu povo está sendo destruído, porque lhe falta o conhecimento...

OSÉIAS 4.6

Essa afirmação é certamente verdadeira no que diz respeito à área da passividade. A maioria dos cristãos não está nem mesmo familiarizada com o termo, tampouco sabem como reconhecer os sintomas.

Passividade é o oposto da atividade. É um problema perigoso porque a Palavra de Deus ensina claramente que devemos estar alertas, sóbrios e ativos (1 Pedro 5.8) – que devemos reavivar a chama e agitar o dom que há em nós (2 Timóteo 1.6).

Tenho lido várias definições da palavra "passividade" e a descrevo como ausência de sentimento, uma ausência de desejo, apatia geral, indiferença e preguiça. Espíritos maus estão por trás da passividade. O diabo sabe que a inatividade, o insucesso para exercitar a vontade significará a completa derrota do crente. Enquanto ma pessoa está se movendo contra o diabo usando sua vontade para resistir-lhe, o inimigo não ganhará a guerra. Entretanto, se entrar em um estado de passividade, ela estará com sérios problemas.

Capítulo 14

Tantos crentes são tão governados emocionalmente que qualquer ausência de sentimentos é tudo do que precisam para que parem de fazer o que foram ensinados a fazer. Eles louvam se sentirem vontade, doam se sentirem vontade, são fiéis ao que dizem se sentirem vontade – e, se não sentirem vontade, não fazem nada!

O ESPAÇO VAZIO É UM LUGAR!

...*nem deis lugar ao diabo.*

Efésios 4.6

O lugar que damos à Satanás é frequentemente um espaço vazio. Uma mente vazia e passiva pode facilmente ser cheia com todos os tipos de pensamentos errados.

Um crente que tem uma mente passiva e que não resiste a esses pensamentos errados frequentemente os toma como seus próprios pensamentos. Ele não percebe que o espírito mau os injetou em sua mente porque havia espaço vazio lá para ser preenchido.

Uma forma de manter os pensamentos errados fora da mente é manter a mente cheia de pensamentos certos. O diabo pode ser lançado fora, mas ele vai e vagueia em lugares secos por uma temporada. Quando ele retorna para seu antigo lar e o encontra vazio, a Bíblia diz, em Lucas 11.24-26, que ele volta e traz outros demônios com ele, e a última condição da pessoa é pior do que a primeira. Por essa razão, jamais tentemos lançar fora um espírito mau de uma pessoa, a menos que ela tenha sido instruída a como "encher o espaço vazio".

Não estou dizendo que cada pessoa que tem um pensamento mau tenha um espírito mau. Mas um espírito mau está sempre por trás de pensamentos maus. Um indivíduo pode lançar fora conceitos repetidamente, mas eles voltarão imediatamente até que ele aprenda a preencher o espaço vazio com uma forma

Uma Mente Passiva

de pensar correta. Quando o inimigo retornar, ele, então, não encontrará lugar naquela pessoa.

Há pecados agressivos, ou pecados de execução, e há pecados passivos, que são pecados de omissão. Em outras palavras, há coisas erradas que fazemos e há coisas certas que não fazemos. Por exemplo, um relacionamento pode ser destruído por palavras irrefletidas, mas pode também ser destruído pela omissão de palavras bondosas de apreciação, que deveriam ter sido ditas, mas nunca o foram.

Uma pessoa passiva pensa que não está fazendo nada errado porque ela não está fazendo nada. Confrontada com seu erro, ela dirá: "Eu não fiz nada"! Sua análise é correta, mas seu comportamento não é. O problema surgiu precisamente porque ele não fez nada.

SUPERANDO A PASSIVIDADE

Há alguns anos, meu marido Dave teve alguns problemas com a passividade. Havia certas coisas em que ele era ativo. Ele ia trabalhar todo dia, jogava golfe aos sábados e assistia ao futebol aos domingos. Além disso, era muito difícil motivá-lo a fazer qualquer outra coisa. Se eu precisasse de um quadro pendurado na parede, poderia levar três ou quatro semanas para ter isso feito. Isso causava grande atrito entre nós. A mim parecia que ele fazia o que queria e que, além disso, não fazia nada.

Dave amava o Senhor e, quando ele O procurou a respeito do seu problema, ele o fez observar algumas informações sobre a passividade e seus perigos. Ele descobriu que espíritos maus estavam por trás de sua inatividade. Havia certas áreas em que ele não tinha problemas porque havia mantido sua vontade naquelas áreas, mas em outras áreas ele tinha basicamente, pela inatividade, entregue sua vontade ao inimigo. Ele era oprimido naquelas áreas e tinha se movido a um lugar onde ele não tinha qualquer desejo, qualquer "eu quero", nenhuma motivação para ajudá-lo a realizar certas atividades.

O estudo da Palavra de Deus e a oração eram duas outras áreas nas quais ele era passivo. Como eu sabia que ele não estava buscando a Deus por direcionamento, era-me difícil ouvi-lo. De qualquer forma eu tinha um problema de rebeldia, e você pode ver como o diabo usou nossas fraquezas contra nós mesmos. Muitas pessoas estão divorciadas exatamente por causa de tais problemas. Elas realmente não entendem o que está errado.

Na verdade, eu era muito agressiva. Eu estava sempre correndo na frente de Deus, na carne, "fazendo minhas próprias coisas" e esperando que o Senhor as abençoasse. Dave não fazia muito, exceto esperar em Deus, o que me irritava seriamente. Agora nós rimos quando pensamos em como costumávamos ser, mas naquela época não era engraçado, e se Deus não tivesse chamado nossa atenção poderíamos ter sido mais uma daquelas estatísticas de divórcio.

Dave me dizia que eu estava sempre na frente de Deus, e eu respondia dizendo que ele estava dezesseis quilômetros atrás de Deus. Eu era muito agressiva, e Dave era muito passivo.

Quando um crente está inativo em qualquer área em que ele tem capacidade ou talento, essa área particular começa a atrofiar ou torna-se imobilizada. Quanto mais tempo ele não faz nada, menos ele quer fazer. Um dos melhores exemplos é o exercício físico.

Estou no momento em um bom programa de exercício e, quanto mais me exercito, mais fácil fica. Quando comecei era muito difícil. Doía cada vez que eu seguia o programa porque eu havia estado inativa e passiva no que diz respeito a exercício físico por um longo tempo. Quanto mais tempo eu não fazia nada, pior ficava minha condição física. Eu estava ficando cada vez mais fraca, dada a não utilização dos meus músculos.

Dave começou a ver o que era o seu problema! Ele estava lidando com espíritos maus que o estavam oprimindo por causa de

Uma Mente Passiva

sua inatividade de longo termo. Quando o Espírito Santo revelou-lhe a verdade, Dave determinou que ele seria outra vez ativo e agressivo, não preguiçoso ou procrastinador.

Tomar a decisão foi a parte mais fácil; colocá-la em ação foi a parte mais difícil. Era difícil porque cada uma das áreas em que ele havia sido passivo tinha agora de ser "exercitada" até que ficasse forte outra vez.

Ele começou a se levantar às 5 horas da manhã para ler a Palavra e orar antes de sair para o trabalho. A batalha começou! O diabo não quer abrir mão do terreno que ele já ganhou e não vai desistir sem luta. Dave se levantava para passar um tempo com Deus e adormecia no sofá. Mesmo que houvesse manhãs em que adormecia, ele estava fazendo progresso simplesmente porque ele estava saindo da cama e tentando construir uma vida de oração.

Houve momentos em que ele ficou entediado. Havia dias em que ele sentia que não estava tendo nenhum progresso, em que, de qualquer forma, ele não estava entendendo o que estava lendo e sentindo que suas orações não estavam sendo ouvidas. Mas ele persistiu por causa da revelação do Espírito Santo sobre essa condição chamada "passividade."

Comecei a notar que, quando eu precisava que Dave pendurasse um quadro ou consertasse alguma coisa na casa, ele respondia imediatamente. Ele estava começando a ter seus próprios pensamentos outra vez e a tomar suas próprias decisões. Muitas vezes ele não tinha vontade de fazê-lo ou até mesmo não queria fazê-lo no seu natural. Mas ele ia além dos seus sentimentos e desejos carnais. Quanto mais ele agia em relação ao que sabia que era o correto, mais liberdade desfrutava.

Serei honesta e lhe direi que não foi fácil para ele. Ele não foi liberto em uns poucos dias ou umas poucas semanas. A passividade é uma das condições mais difíceis de ser superada porque, como mencionei, não há sentimentos para emprestar suporte.

Capítulo 14

Dave persistiu com a ajuda de Deus e agora ele não é nem um pouquinho passivo. Ele é o administrador de Vida na Palavra, supervisiona todos os nossos programas de rádio e televisão e é responsável por todos os aspectos financeiros do ministério. Viaja comigo em tempo integral e toma decisões em relação aos nossos programas de viagem. É também um excelente homem de família. Ora e regularmente passa tempo estudando a Palavra de Deus. Em resumo, ele é um homem para ser respeitado e admirado.

Ele ainda joga golfe e assiste a esportes, mas agora ele também faz outras coisas que se espera que faça. Conhecendo-o e vendo tudo o que ele faz, ninguém pensaria que ele já foi tão passivo como era no passado.

A condição de passividade pode ser superada. Mas o primeiro passo para superar a passividade nas ações é superar a passividade na mente. Dave não poderia ter progresso até que tomasse a decisão e mudasse sua maneira de pensar.

A AÇÃO CORRETA ACOMPANHA O PENSAR CORRETO

E não vos conformeis com este século [mundo, moldado e adaptado de acordo com seus costumes externos superficiais], mas transformai-vos pela [completa] renovação da vossa mente [por seus novos ideais e novas atitudes].

ROMANOS 12.2

Há um princípio dinâmico mostrado do começo ao fim na Palavra de Deus ,e pessoa alguma jamais andará em vitória a menos que entenda e opere nele: a ação correta acompanha o pensar correto.

Deixe-me colocar de outra forma: *você não modificará seu comportamento até que modifique seus pensamentos.*

Na ordem das coisas de Deus, o pensar correto vem primeiro e a ação correta o segue. Creio que a ação certa ou o comportamento correto é "fruto" do pensar corretamente. Muitos crentes se desgastam tentando agir corretamente, mas o fruto não é produto de luta. O fruto vem como resultado de se permanecer na videira (João 15.4). E permanecer na videira envolve ser obediente (João 15.10).

Eu sempre uso Efésios 4.22-24 quando ensino esse princípio. O verso 22 diz: *...vos despojeis do velho homem [desvesti-vos e jogai fora vosso velho e não-renovado eu que caracterizava vossa maneira anterior de vida e] que se corrompe segundo as concupiscências [e desejos que brotam] do engano[...]*

O verso 24 continua o pensamento dizendo: *[...] e vos revistais do novo homem [o eu regenerado], criado segundo Deus, em justiça e retidão procedentes da verdade.*

Assim vemos que o verso 22 basicamente nos diz para pararmos de agir inadequadamente e o verso 24 nos diz para começarmos a agir adequadamente. Mas o verso 23 é o que eu chamo de "ponte bíblica". Ele nos diz como ir do verso 22 (agindo inadequadamente) ao verso 24 (agindo adequadamente): *...e vos renoveis [constantemente] no espírito do vosso entendimento [da vossa mente, tendo uma nova atitude mental e espiritual].*

É impossível ir de um comportamento errado a um comportamento correto sem *primeiro* mudar os pensamentos. Uma pessoa passiva pode querer fazer a coisa certa, mas ela jamais conseguirá isso a menos que ative sua mente propositadamente e a alinhe com a Palavra e a vontade de Deus.

Um exemplo que me vem à mente envolve um homem que certa vez foi para a fila de oração em uma das minhas conferências. Ele tinha um problema com a luxúria. Ele realmente amava sua esposa e não queria que seu casamento fosse destruído, mas seu problema precisava ser resolvido, ou ele arruinaria seu casamento.

"Joyce, eu tenho um problema com a luxúria", ele disse. "Parece que eu simplesmente não posso ficar longe de outras mulheres. Você pode orar para que eu seja liberto? Eu orei muitas vezes, mas parece que jamais conseguirei algum progresso."

Isso foi o que o Espírito Santo me ordenou que lhe dissesse: "Sim, eu vou orar por você, mas você deve ser responsável pelo que permite que lhe seja mostrado na tela da sua mente. Você não pode visualizar fotografias pornográficas em seu pensamento, ou imaginar-se com essas outras mulheres, se você quer desfrutar liberdade."

Como esse homem, outros vieram a perceber, imediatamente, por que eles não estavam experimentando um progresso mesmo que quisessem ser libertos: *eles querem mudar seu comportamento – mas não sua maneira de pensar.*

A mente é, frequentemente, uma área na qual as pessoas "brincam com o pecado". Jesus disse em Mateus 5.27-28: *Ouvistes que foi dito: Não adulterarás. Eu, porém, vos digo: qualquer que olhar para uma mulher com intenção impura, no coração, já adulterou com ela.* O caminho para ações pecaminosas é pavimentado com pensamentos pecaminosos.

Uma mulher que participou do meu primeiro Estudo Bíblico doméstico tinha entregado sua vida ao Senhor e queria que seu lar e seu casamento fossem consertados. Tudo em sua vida era uma bagunça – o lar, os filhos, as finanças, a condição física, etc. Ela disse abertamente que não amava seu marido; de fato, ela realmente o desprezava. Sabendo que sua atitude não era de Deus, ela queria amá-lo, mas simplesmente parecia que não podia tolerar estar perto dele.

Nós oramos, ela orou, todos oraram! Compartilhamos a Escritura com ela e lhe demos fitas para ouvir. Fizemos tudo o que sabíamos e, embora ela parecesse estar seguindo nossos conselhos, ela não progredia. *O que estava errado?* Durante uma sessão de aconselhamento, foi revelado que ela havia sido uma sonhadora toda a sua vida. Ela estava sempre imaginando uma existência de conto de fadas na qual ela era a princesa e o príncipe vinha para casa do trabalho com flores e doces, emocionando-a com sua devoção a ela.

Uma Mente Passiva

Ela passava os dias pensando assim, e quando seu marido cansado, acima do peso, suado e sujo chegava em casa depois do trabalho (com um dente faltando), ela o desprezava.

Pense nessa situação por um momento. A mulher era nascida de novo e, ainda assim, sua vida estava uma bagunça. Ela queria obedecer a Deus e viver para Ele e também queria amar seu marido, porque sabia que essa era a vontade de Deus. Ela queria ter vitória em sua vida e em seu casamento, mas sua mente a estava derrotando. Não havia como ela superar sua aversão por seu marido até que ela começasse a operar com uma "mente sadia".

Ela estava vivendo mentalmente em um mundo que não existia e jamais existiria. Portanto, estava inteiramente despreparada para lidar com a realidade. Ela tinha uma mente passiva e, uma vez que não estava escolhendo seus pensamentos de acordo com a Palavra de Deus, os espíritos maus injetaram pensamentos em sua mente.

Enquanto ela pensasse que eram seus próprios pensamentos e tivesse prazer neles, jamais experimentaria vitória. Ela mudou sua forma de pensar, e sua vida começou a mudar. Ela mudou sua atitude mental em relação ao seu marido, e ele começou a mudar sua aparência e seu comportamento em relação a ela.

FIXE SUA MENTE NO QUE ESTÁ ACIMA

Portanto, se fostes ressuscitados juntamente com Cristo [para uma nova vida, portanto compartilhando sua ressurreição dos mortos], buscai [e tende como objetivo] as coisas [os tesouros ricos e eternos] lá do alto, onde Cristo vive, assentado à direita de Deus. Pensai [fixai e mantende vossas mentes] nas coisas lá do alto [nas coisas mais elevadas], não nas que são aqui da terra.

COLOSSENSES 3.1-2

Observamos outra vez o mesmo princípio: se você quer viver a vida ressurreta que Cristo providenciou, então busque essa vida

Capítulo 14

nova e poderosa fixando sua mente nas coisas do alto, não nas coisas da terra.

O apóstolo Paulo está simplesmente dizendo que se queremos uma boa vida, então, devemos manter nossa mente em coisas boas.

Muitos crentes querem uma vida boa, mas estão passivamente sentados desejando que alguma coisa boa lhes aconteça. Frequentemente eles têm ciúmes dos outros que estão vivendo em vitória e se ressentem porque a vida deles é tão difícil.

Se você deseja vitória sobre seus problemas, se você verdadeiramente quer viver a vida ressurreta, *você deve ter força de caráter e não apenas força-de-desejo!* Você deve ser ativo – não passivo. Ação correta começa com pensamento correto. Não seja passivo em sua mente. Comece hoje a escolher os pensamentos corretos.

Capítulo 15

A Mente de Cristo

Pois quem conheceu a mente [os conselhos e propósitos] do Senhor, que o possa [guiar e dar-lhe conhecimento e] instruir? Nós, porém, temos a mente de Cristo (o Messias) [e guardamos os pensamentos (sentimentos e propósitos) do seu coração].

I Coríntios 2.16

Creio que agora você já tomou a firme decisão de escolher os pensamentos corretos, então vamos examinar os tipos de pensamentos que seriam considerados corretos de acordo com o Senhor. Há certamente muitos tipos de pensamentos que seriam considerados impensáveis a Jesus quando Ele estava na Terra. Se quisermos seguir seus passos, então precisamos começar a pensar como Ele pensava.

Neste instante você deve estar pensando: "Isso é impossível, Joyce, Jesus era perfeito. Eu posso ser capaz de melhorar minha forma de pensar, mas jamais serei capaz de pensar como Ele pensava".

Bem, a Bíblia nos diz que temos a mente de Cristo – e um novo coração e um novo espírito.

Capítulo 15

UM NOVO CORAÇÃO E UM NOVO ESPÍRITO

Dar-vos-ei coração novo e porei dentro de vós espírito novo; tirarei de vós o coração de pedra e vos darei coração de carne. Porei dentro de vós o meu Espírito e farei que andeis nos meus estatutos, guardeis os meus juízos e os observeis.

Ezequiel 36.26-27

Como cristãos, temos uma nova natureza que é, na verdade, a natureza de Deus depositada em nós no novo nascimento.

Podemos ver nessa passagem que Deus sabia que, se tínhamos de prestar atenção às suas ordenanças e caminhar em seus estatutos, ele teria de nos dar seu Espírito e um novo coração (e mente). Romanos 8.6 fala da mente da carne e da mente do Espírito e nos diz que a morte é resultado de se seguir a mente da carne e a vida é o resultado de se seguir a mente do Espírito.

Faríamos um tremendo progresso simplesmente aprendendo a discernir entre vida e morte.

Se alguma coisa está lhe ministrando morte, não continue a fazer isso. Quando certas linhas de pensamento o enchem de morte, você sabe imediatamente que essa não é a mente do Espírito.

Para ilustrar, vamos dizer que eu esteja pensando em uma injustiça que sofri por causa de outra pessoa e comece a ficar irritada. Começo a pensar no quanto não gosto daquela pessoa. Se eu for perspicaz, notarei que estou sendo cheia com morte. Estou ficando irritada, tensa, estressada – posso até mesmo estar experimentando desconforto físico. Dor de cabeça, dor de estômago e fadiga inexplicável podem ser fruto da forma errada de pensar. Por outro lado, se eu estiver pensando em como sou abençoada e em como Deus tem sido bom para mim, também perceberei que estou sendo cheia com vida.

É muito útil que um crente aprenda a discernir vida e morte dentro dele. Jesus tomou as providências para que fôssemos cheios

A Mente de Cristo

de vida, colocando Sua mente em nós. Podemos escolher fluir na mente de Cristo.

Nas próximas páginas deste capítulo há uma lista de coisas a fazer para que possamos fluir na mente de Cristo.

1. Pense positivamente

> *Andarão dois juntos, se não houver entre eles acordo?*
> AMÓS 3.3

Se uma pessoa está pensando de acordo com a mente de Cristo, como serão seus pensamentos? Serão positivos, com certeza. Em um capítulo anterior, já discutimos a absoluta necessidade de pensar positivamente. Talvez a esta altura você queira voltar ao capítulo 5 para refrescar sua memória a respeito da importância de ser positivo. Acabei de voltar e lê-lo e fui abençoada, embora eu mesma o tenha escrito.

Jamais se dirá o suficiente a respeito do poder de ser positivo. Deus é positivo, e se quisermos fluir com Ele devemos sintonizar na mesma frequência e começar a pensar positivamente. Não estou falando de exercitar o controle da mente, mas simplesmente ser uma pessoa positiva em todos os aspectos.

Tenha perspectiva e atitude positivas. Mantenha pensamentos e expectativas positivos. Participe de conversas positivas.

Jesus certamente mostrava perspectiva e atitudes positivas. Ele suportou muitas dificuldades incluindo ataques pessoais – mentiram sobre Ele, foi abandonado por seus discípulos quando mais precisava deles, foi escarnecido, foi solitário, mal compreendido e inúmeras outras coisas desencorajantes. Apesar disso, em meio a todas essas coisas negativas, Ele permaneceu positivo. Ele sempre tinha um comentário edificante, uma palavra encorajadora; Ele sempre deu esperança a todos de quem se aproximou.

Capítulo 15

A mente de Cristo em nós é positiva; portanto, sempre que nos tornarmos negativos, não estaremos operando com a mente de Cristo. Milhões de pessoas sofrem de depressão, e realmente não penso que seja possível alguém estar deprimido sem ser negativo – a menos que a causa seja médica. Mesmo nesse caso, ser negativo apenas aumentará o problema e os sintomas.

De acordo com o Salmo 3.3, Deus é a nossa glória e Aquele que levanta a nossa cabeça. Ele quer erguer tudo: nossas esperanças, nossas atitudes, nosso humor, nossa cabeça, nossas mãos e nosso coração – nossa vida inteira. Ele é nosso Levantador divino!

Deus quer nos levantar, e o diabo quer nos empurrar para baixo. Satanás usa os eventos negativos e as situações da nossa vida para nos *deprimir*. A definição do dicionário da palavra deprimir é "abater no espírito: ENTRISTECER".[1] De acordo com o dicionário *Webster*, alguma coisa que está *deprimida* está "afundada abaixo da região circundante: VAZIO".[2] *Deprimir* significa afundar, empurrar para baixo, ou manter abaixo do nível do solo. Regularmente, temos oportunidade de pensar negativamente, mas nossos pensamentos apenas nos afundarão ainda mais. Ser negativo não resolve nossos problemas; apenas se soma a eles.

SUPERE A DEPRESSÃO

O Salmo 143.3-10 dá uma descrição de depressão e de como superá-la. Vamos examinar essa passagem em detalhe para ver os passos que poderemos dar para superar esse ataque do inimigo:

• Identifique a natureza e a causa do problema.

> *Pois o inimigo me tem perseguido a alma; tem arrojado por terra a minha vida; tem-me feito habitar na escuridão, como aqueles que morreram há muito.*
>
> Salmo 143.3

"Habitar na escuridão, como aqueles que morreram há muito" certamente me soa como uma descrição de alguém que está deprimido.

Observe que a origem dessa depressão, desse ataque à alma, é Satanás.

- Reconheça que a depressão rouba a vida e a luz.

Por isso, dentro de mim esmorece [e está oprimido] o meu espírito, e o coração [em meu peito] se vê turbado [e entorpecido].

SALMO 143.4

A depressão oprime a liberdade espiritual e o poder de uma pessoa.

Nosso espírito (fortalecido e encorajado pelo Espírito de Deus) é poderoso e livre. Portanto, Satanás procura oprimir esse poder e liberdade enchendo nossa mente com escuridão e sombra. Por favor, perceba que isso é vital para resistir o sentimento chamado "depressão" imediatamente após sentir sua chegada. Quanto mais lhe for permitido permanecer, mais difícil será resistir.

- Lembre-se dos bons tempos.

Lembro-me dos dias de outrora, penso em todos os teus feitos e considero nas obras das tuas mãos.

SALMO 143.5

Nesse versículo vemos a resposta do salmista à sua situação. Lembrar, meditar e refletir são funções da mente. Ele, obviamente, sabe que seus pensamentos afetarão seus sentimentos, então ele se torna ocupado pensando sobre coisas que o ajudarão a superar o ataque à sua mente.

Capítulo 15

- Louve ao Senhor em meio ao problema.

> *A ti levanto as mãos; a minha alma anseia por ti, como terra sedenta [anseia por água]. (Selá) [pare e pense nisso calmamente]!*
>
> Salmo 143.6

O salmista conhece a importância do louvor; ele ergue as mãos em adoração. Ele declara qual é verdadeiramente sua necessidade – ele precisa de Deus. Apenas Deus pode fazê-lo sentir-se satisfeito.

Muito frequentemente, quando as pessoas ficam deprimidas é porque eles precisam de alguma coisa e procuram no lugar errado, o que apenas aumenta seus problemas.

Em Jeremias 2.13 o Senhor disse: *Porque dois males cometeu o meu povo: a mim me deixaram, o manancial de águas vivas, e cavaram cisternas, cisternas rotas, que não retêm as águas.*

Apenas Deus pode saciar uma alma sedenta. Não se engane pensando que qualquer coisa pode satisfazê-lo inteira e completamente. Correr atrás da coisa errada sempre o deixará desapontado, e o desapontamento abre a porta para a depressão.

- Peça a ajuda de Deus.

> *Dá-te pressa, Senhor, em responder-me; o espírito me desfalece; não me escondas a tua face, para que eu não me torne como os que baixam à cova (à sepultura).*
>
> Salmo 143.7

O salmista clama por ajuda. Ele está basicamente dizendo: "Apressa-te, Senhor, porque eu não vou ser capaz de aguentar muito mais tempo sem Ti."

- Ouça o Senhor.

A Mente de Cristo

Faze-me ouvir, pela manhã, da tua graça, pois em ti confio; mostra-me o caminho por onde devo andar, porque a ti elevo a minha alma.

Salmo 143.8

O salmista sabe que ele precisa ouvir ao Senhor. Ele precisa ser assegurado do amor e bondade de Deus. Ele precisa da atenção e da direção de Deus.

• Ore por livramento.

Livra-me, Senhor, dos meus inimigos; pois em ti é que me refugio.

Salmo 143.9

Mais uma vez o salmista está declarando que apenas Deus pode ajudá-lo.

Por favor, observe que ao longo desse discurso ele está mantendo sua mente em Deus, não no problema.

• Busque sabedoria, conhecimento e liderança de Deus.

Ensina-me a fazer a tua vontade, pois tu és o meu Deus; guie-me o teu bom Espírito por terreno plano.

Salmo 143.10

Talvez o salmista esteja indicando que ele havia saído da vontade de Deus e, portanto, tenha aberto a porta para ataque à sua alma. Ele quer estar na vontade de Deus porque ele agora percebe que esse é o único lugar seguro para estar. Então, ele pede a Deus que o ajude a se manter firme. Creio que esta frase, "Guia-me por terreno plano", refere-se às suas emoções vacilantes. Ele quer estar inabalável – não em altos e baixos.

Capítulo 15

USE SUAS ARMAS

Porque as armas da nossa milícia não são carnais [armas de carne e sangue], e sim poderosas em Deus, para destruir [derrotar] fortalezas, anulando sofismas. [Visto que refutamos argumentos e teorias e questionamentos] e toda altivez [e superioridade] que se levante contra o [verdadeiro] conhecimento de Deus, e levando cativo todo pensamento [e propósito] à obediência de Cristo [o Messias, o Ungido].

2 Coríntios 10.4-5

Satanás usa a depressão para arrastar milhões no poço de escuridão e desespero. O suicídio, frequentemente, é resultado da depressão. Uma pessoa suicida é geralmente alguém que se tornou tão negativa que não vê absolutamente nenhuma esperança para o futuro.

Lembre-se: *sentimentos negativos vêm de pensamentos negativos.*

A mente é o campo de batalha, o lugar onde a batalha é ganha ou perdida. Escolha hoje ser positivo – lançando fora cada imaginação negativa e trazendo seus pensamentos à obediência de Jesus Cristo (2 Coríntios 10.5).

2. Tenha a mente de Deus.

Tu, Senhor, conservarás [e guardarás] em perfeita [e constante] paz aquele cujo propósito [ambos a sua inclinação e o seu caráter] é firme [em ti]; porque ele confia [apóia-se e espera confiantemente] em ti.

Isaías 26.3

Jesus tinha comunhão contínua com seu Pai celestial. É impossível ter comunhão completa com qualquer pessoa sem ter a mente nela. Se meu marido e eu estamos no carro juntos e ele está conversando comigo, mas eu tenho a minha mente em alguma outra coisa, na verdade, não estamos tendo comunhão porque não estou lhe dando minha inteira atenção. Portanto, creio que podemos dizer com segurança que os pensamentos de uma pessoa que funciona na mente de Cristo estariam em Deus e em toda a sua obra poderosa.

MEDITE EM DEUS E NAS SUAS OBRAS

Como de banha e de gordura farta-se a minha alma; e, com júbilo nos lábios, a minha boca te louva. No meu leito quando de ti me recordo e em ti medito, durante a vigília da noite.

SALMO 63.5-6

Considero também nas tuas obras todas e cogito dos teus prodígios.

SALMO 77.12

Meditarei nos teus preceitos e às tuas veredas [os caminhos da vida marcados pela tua lei] terei respeito.

SALMO 119.15

Lembro-me dos dias de outrora, penso em todos os teus feitos e considero nas obras das tuas mãos.

SALMO 143.5

O salmista Davi falava frequentemente sobre meditar em Deus, sua bondade e suas obras e caminhos. É tremendamente edificante pensar na bondade de Deus e em todas as maravilhosas obras das suas mãos.

Gosto muito de assistir a programas de televisão sobre a natureza, os animais, a vida nos oceanos, etc., porque eles retratam a tremenda grandeza de Deus, sua infinita criatividade e como Ele está mantendo todas as coisas pela força do seu poder (Hebreus 1.3).

Meditar em Deus e nos seus caminhos e obras terá de se tornar uma parte regular dos seus pensamentos se você quer experimentar vitória.

Capítulo 15

Um das minhas passagens bíblicas favoritas é o Salmo 17.15, no qual o salmista diz ao Senhor: ... *Eu, porém, na justiça contemplarei a tua face; quando acordar, eu me satisfarei com a tua semelhança [e tendo doce comunhão contigo].*

Tive muitos dias infelizes porque começava pensando sobre todas as coisas erradas no instante em que acordava toda manhã. Posso dizer, com certeza, que tenho estado completamente satisfeita desde que o Espírito Santo está me ajudando a funcionar na mente de Cristo (a mente do Espírito) que está em mim. Ter comunhão com Deus cedo de manhã é uma forma segura de começar a desfrutar a vida.

TENHA COMUNHÃO COM DEUS

... se eu não for, o Consolador (Conselheiro, Ajudador, Advogado, Intercessor, Fortalecedor e Companheiro) não virá para vós outros [em íntima comunhão convosco]; se, porém, eu for, eu vo-lo enviarei [para estar em íntima comunhão convosco].

João 16.7

Essas palavras foram ditas por Jesus pouco antes da sua partida para o céu, onde Ele está assentado à mão direita do Pai na glória. É óbvio, a partir dessa passagem, que a vontade de Deus é que estejamos em comunhão íntima com Ele.

Nada está mais próximo de nós do que nossos pensamentos. Portanto, se enchermos nossa mente com o Senhor, isso O trará à nossa consciência e começaremos a desfrutar uma comunhão com Ele, que trará alegria, paz e vitória à nossa vida diária.

Ele está sempre conosco como prometeu que estaria (Mateus 28.20; Hebreus 13.5). Mas não estaremos conscientes da sua presença a menos que pensemos a respeito dEle. Posso estar em um cômodo com alguém e, se tiver a minha mente em uma porção de outras coisas, posso ir embora sem mesmo me dar conta de que uma pessoa estava lá. É dessa forma que acontece com nossos privilégios de comunhão com o Senhor. Ele está sempre conosco, mas precisamos pensar nEle para estarmos conscientes da sua presença.

3. Tenha a mente "Deus-me-ama".

> E nós conhecemos [entendemos, reconhecemos, estamos conscientes de por meio de observação e experiência] e cremos [aderimos e colocamos fé e confiamos] no amor que Deus tem por nós. Deus é amor, e aquele que permanece no amor permanece em Deus, e Deus, nele.
>
> I JOÃO 4.16

Tenho aprendido que a mesma coisa que é válida para o amor de Deus é válida para a sua presença. Se jamais meditamos em Seu amor, não o experimentaremos.

Paulo orou em Efésios 3 para que as pessoas experimentassem o amor de Deus por elas mesmas. A Bíblia diz que Ele nos ama. Mas quantos dos filhos de Deus ainda não têm a revelação no tocante ao amor de Deus?

Lembro-me de quando iniciei os Ministérios Life in the Word. Na primeira semana em que eu deveria dirigir um encontro, perguntei ao Senhor o que Ele queria que eu ensinasse, e Ele me respondeu: "Diga ao meu povo que eu o amo".

"Ele sabe disso", eu disse. "Eu quero ensinar-lhe alguma coisa realmente poderosa, não uma lição de Escola Dominical sobre João 3.16."

O Senhor me disse: "Poucos do meu povo sabem quanto eu os amo. Se eles soubessem, agiriam de modo diferente".

Quando comecei a estudar o assunto de receber o amor de Deus, percebi que eu mesma estava em desesperada necessidade. O Senhor me conduziu em meu estudo para 1 João 4.16, que afirma que deveríamos estar conscientes do amor de Deus. Isso significa

Capítulo 15

que deveria ser alguma coisa sobre o que devemos estar ativamente conscientes.

Eu tinha um tipo de entendimento vago, inconsciente de que Deus me amava, mas o amor de Deus é uma força poderosa em nossa vida, que nos conduzirá por meio das mais difíceis provações à vitória.

Em Romanos 8.35 o apóstolo Paulo nos exorta: Quem nos separará do amor de Cristo? Será [o sofrimento ou a] tribulação, [calamidade] ou angústia, ou perseguição, ou fome, ou nudez, ou perigo, ou espada? Então, no verso 37 ele continua dizendo: Em todas estas coisas, porém, somos mais que vencedores, por meio daquele que nos amou.

Estudei esse assunto por um longo tempo e me tornei consciente do amor de Deus por mim ao pensar sobre o seu amor e confessá-lo em voz alta. Aprendi versículos sobre o amor de Deus e meditei neles e os confessei com a minha boca. Fiz isso por meses, e o tempo todo a revelação do Seu amor incondicional por mim foi se tornando mais e mais uma realidade para mim.

Agora Seu amor me é tão real que até mesmo em tempos difíceis sou confortada pelo "conhecimento consciente" de que Ele me ama e que eu não mais tenho de viver com medo.

NÃO TENHA MEDO

No amor não existe medo; antes, o perfeito amor lança fora o medo.
I JOÃO 4:18

Deus nos ama perfeitamente, exatamente como somos. Romanos 5.8 nos diz que ... *Deus prova o seu próprio amor para conosco pelo fato de ter Cristo morrido por nós, sendo nós ainda pecadores.*

Crentes que operam de acordo com a mente de Cristo não vão pensar sobre como eles são horríveis. Eles terão pensamentos baseados na retidão. Você deveria ter uma conscientização-de-retidão, meditando regularmente sobre quem você é "em Cristo".

SEJA CONSCIENTE DA JUSTIÇA, NÃO CONSCIENTE DO PECADO

> *Aquele que não conheceu pecado, ele o fez pecado por nós [por amor a nós]; para que, nele [através dele], fôssemos feitos [vestidos de, vistos como e exemplos de] justiça de Deus [o que deveríamos ser, aprovados e aceitáveis e em relacionamento correto com ele, pela sua bondade].*
>
> 2 Coríntios 5.21

Muitos crentes são atormentados por pensamentos negativos a respeito deles mesmos. Pensamentos sobre como Deus deve ser tão desagradável por causa de todas as suas fraquezas e falhas.

Quanto tempo você desperdiça vivendo debaixo da culpa e da condenação? Observe que eu disse quanto tempo você desperdiça, porque isso é exatamente o que todo tipo de pensamento é: um desperdício de tempo!

Não pense sobre como você era horrível antes de ter vindo a Cristo. Em vez disso, pense sobre como você foi feito justiça de Deus nEle. Lembre-se: *pensamentos se transformam em ações*. Se você quer se comportar, você deve mudar sua forma de pensar primeiro. Continue pensando em como você é horrível e você apenas agirá de maneira pior. Cada vez que um pensamento negativo, condenatório, vier à sua mente, lembre-se de que Deus o ama, que você foi feito à semelhança da justiça de Deus em Cristo.

Estamos mudando para melhor o tempo todo. Cada dia você está crescendo espiritualmente. Deus tem um plano gracioso para sua vida. Essas são verdades sobre as quais você deve pensar.

Isso é o que se espera que você esteja fazendo com sua mente!

Pense deliberadamente de acordo com a Palavra de Deus; não pense em apenas qualquer coisa que caia em sua cabeça, recebendo isso como seu próprio pensamento.

Repreenda o diabo e comece a ir adiante pensando pensamentos certos.

4. Tenha uma mente exortativa.

> ...*ou o que exorta [encoraja] faça-o com dedicação...*
> ROMANOS 12.8

A pessoa com a mente de Cristo tem pensamentos positivos, enriquecedores, edificantes sobre outras pessoas, como também sobre si mesma e suas próprias circunstâncias.

O ministério de exortação é grandemente necessário no mundo de hoje. Você jamais exortará alguém com suas palavras se não tiver primeiro pensamentos bondosos para com a tal pessoa. Lembre-se de que qualquer coisa que estiver em seu coração sairá de sua boca. Tenha algum "pensamento amoroso" de propósito.

Envie pensamentos de amor a outras pessoas. Diga-lhes palavras de encorajamento.

O *Dicionário Expositivo de Palavras do Novo Testamento*, de Vine, define a palavra *parakaleo*, que é traduzida por *exortar*, como "em primeiro lugar, chamar uma pessoa (para *para o lado*, *kaleo*, chamar)... admoestar, exortar, instar com alguém para buscar algum curso de conduta".[3] Interpreto essa definição como caminhar junto com uma pessoa instando com ela para continuar perseguindo um modo de ação. O dom ministerial de exortação em Romanos 12.8 pode prontamente ser visto naqueles que o têm. Eles estão sempre dizendo alguma coisa encorajadora ou edificante para todos – alguma coisa que faz os outros se sentirem bem e os encoraja a continuar.

Nem todos nós podemos ter o dom ministerial de exortação, mas qualquer um pode aprender a ser encorajador. A regra simples é: se não é bom, então não pense ou diga.

Todos já têm problemas suficientes. Não precisamos contribuir para seus problemas derrubando-os. Deveríamos edificar uns aos outros em amor (Efésios 4.29). Não se esqueça: o amor sempre acredita no melhor de cada um (1 Coríntios 13.7).

Quando você começar a ter pensamentos amorosos sobre as pessoas, você as encontrará comportando-se de forma mais amorosa. Pensamentos e palavras são recipientes ou armas para carregar poder criativo ou destrutivo. Eles podem ser usados contra Satanás e suas obras, ou eles podem, na verdade, ajudá-lo em seus planos de destruição.

Vamos dizer que você tenha um filho com alguns problemas de comportamento e, definitivamente, precisa mudar. Você ora por ele e pede a Deus que trabalhe na vida dele, fazendo o que quer que seja necessário. Agora o que você faz com seus pensamentos e palavras, no que diz respeito a essa criança, durante o período de espera? Muitas pessoas jamais vêem a resposta às suas orações porque elas anulam o que pediram com seus pensamentos e palavras antes mesmo que Deus tenha tido uma chance de trabalhar por elas.

Nós não estamos andando na Palavra se nossos pensamentos são opostos ao que ela diz. Nós não estamos andando na Palavra se não estamos pensando na Palavra.

Quando você ora por alguém, alinhe seus pensamentos e palavras com o que você orou, e começará a ver um avanço.

Não estou sugerindo que você perca o equilíbrio. Se seu filho tem um problema de comportamento na escola e um amigo lhe pergunta como ele está se saindo, o que você deveria fazer se, na verdade, nenhuma modificação aconteceu? Você pode dizer: "Bem, ainda não vimos um avanço, mas creio que Deus está trabalhando e que esta criança é uma fonte de influência para o Senhor. Nós a veremos mudar de glória em glória, pouco a pouco, um dia de cada vez."

5. Desenvolva uma mente agradecida.

Entrai por suas portas com ações de graças [e ofertas de agradecimento] e nos seus átrios, com hinos de louvor; [sede agradecidos] rendei-lhe graças e bendizei-lhe o nome.

SALMO 100.4

Capítulo 15

Uma pessoa fluindo na mente de Cristo encontrará seus pensamentos cheios de louvor e ações de graças.

Muitas portas são abertas ao inimigo por meio da queixa. Algumas pessoas são fisicamente doentes e têm vida fraca e sem poder por causa dessa doença chamada queixa, que ataca os pensamentos e as conversas das pessoas.

Uma vida poderosa não pode ser vivida sem ações de graças. A Bíblia nos instrui repetidamente no princípio da ação de graças. Queixar-se em pensamento ou palavra é um princípio de morte, mas ser agradecido e mostrar isso é um princípio de vida.

Se uma pessoa não tem um coração (mente) agradecido, a ação de graças não sairá de sua boca. Quando formos agradecidos, diremos que somos.

SEJA AGRADECIDO EM TODOS OS MOMENTOS

Por meio de Jesus, pois, ofereçamos a Deus, sempre [e a todo momento], sacrifício de louvor, que é o fruto de lábios que confessam [e glorificam] o seu nome.

HEBREUS 13.15

Quando oferecemos ações de graças? A todo o momento – em cada situação, em todas as coisas –, e, assim fazendo, entramos na vida vitoriosa na qual o diabo não pode nos controlar.

Como ele poderá nos controlar se formos alegres e agradecidos independentemente de como as nossas circunstâncias estão? Certamente, esse tipo de estilo de vida algumas vezes requer sacrifício de louvor e ações de graças, mas prefiro sacrificar minhas ações de graças a Deus do que sacrificar minha alegria a Satanás. Aprendi (da maneira mais difícil) que se me torno resmungona e me recuso a agradecer, então acabarei abrindo mão da minha alegria. Em outras palavras, perderei a alegria para o espírito de queixa.

A Mente de Cristo

No Salmo 34.1 o salmista diz: Bendirei o Senhor em todo o tempo, o seu louvor estará sempre nos meus lábios. Como podemos ser uma bênção para o Senhor? Deixando seu louvor estar continuamente em nossos pensamentos e em nossos lábios.

Seja uma pessoa agradecida – cheia de gratidão – não apenas em relação a Deus, mas também em relação às pessoas. Quando alguém faz uma coisa boa para você, deixe-o saber que você apreciou a atitude dele.

Mostre apreciação em sua família entre os vários membros. Muito frequentemente, tomamos como de direito as coisas com as quais Deus tem nos abençoado. Uma forma certa de perder alguma coisa é não apreciá-la.

Prezo meu marido; nós estamos casados por um longo tempo, mas ainda digo que o prezo. Ele é um homem muito paciente de muitas formas e tem muitas outras boas qualidades. Sei que deixar que as pessoas saibam que nós as apreciamos, mesmo mencionando especificamente certas coisas pelas quais somos agradecidos, ajuda a construir e a manter bons relacionamentos.

Trabalho com muitas pessoas e ainda continuo a me surpreender como algumas delas são tão agradecidas por cada pequena coisa que é feita por elas, enquanto outras nunca estão satisfeitas, a despeito do quanto é feito por elas. Creio que o orgulho tem alguma coisa a ver com esse problema. Algumas pessoas são tão cheias de si próprias que não importa quanto os outros fazem por elas, pensam que merecem não apenas aquilo, mas muito mais! Elas raramente expressam apreciação.

Expressar apreciação é bom não apenas para a outra pessoa, mas é bom para nós, porque libera a alegria em nós.

Medite diariamente em todas as coisas pelas quais você deve ser agradecido. Relate-as detalhadamente ao Senhor em oração e, à medida que fizer isso, você descobrirá seu coração se enchendo de vida e luz.

Capítulo 15

SEMPRE AGRADEÇA POR TUDO

> *E não vos embriagueis com vinho, no qual há dissolução, mas [estimulai-vos e] enchei-vos do Espírito [Santo]. Falando entre vós (a versão King James diz 'falando com vós mesmos') com salmos, entoando [com vozes e instrumentos] e louvando de coração ao Senhor com hinos e cânticos espirituais. Dando sempre graças por tudo a nosso Deus e Pai, em nome de nosso Senhor Jesus Cristo.*
>
> EFÉSIOS 5.18-20

Que poderoso conjunto de versículos!

Como podemos ficar cheios do Espírito Santo? Falando com nós mesmos (por meio dos nossos pensamentos) ou com os outros (por meio das nossas palavras) em salmos e hinos e cânticos espirituais. Em outras palavras, mantendo nossos pensamentos e palavras cheios da Palavra de Deus; *louvando sempre e dando graças por tudo.*

6. Tenha a mente da Palavra

> *Também não tendes a sua palavra [seus pensamentos] permanente em vós, porque não credes [e sois devotados e confiam e dependem] naquele a quem ele enviou. [É por isso que não guardais sua mensagem viva em vós, porque vós não credes no Mensageiro que ele vos enviou.]*
>
> JOÃO 5.38

A Palavra de Deus são os seus pensamentos escritos em papel para nosso estudo e consideração. Sua Palavra é como Ele pensa sobre cada situação e sobre cada assunto.

Em João 5.38, Jesus estava criticando severamente alguns descrentes. Vemos nessa tradução que a Palavra de Deus é a expressão de seus pensamentos e que as pessoas que querem crer e experimentar todos os bons resultados de crer devem permitir que Palavra dEle seja uma mensagem viva no coração delas. Consegue-se isso pela

A Mente de Cristo

meditação na Palavra de Deus. Os pensamentos dEle podem se tornar nossos pensamentos – a única forma de desenvolver a mente de Cristo em nós.

A Bíblia, em João 1.14, diz que Jesus era a Palavra feita carne. Isso não teria sido possível se sua mente não estivesse cheia da Palavra de Deus continuamente.

Meditar na Palavra de Deus é um dos mais importantes princípios de vida que podemos aprender. O *Dicionário Expositivo das Palavras do Novo Testamento*, de Vine, define as duas palavras gregas traduzidas como *meditar* da seguinte maneira: "... cuidar", "atender, praticar", "ser diligente em", "praticar no sentido principal da palavra", "refletir, imaginar", "premeditar..."[4] Outra fonte acrescenta "sussurrar" ou "murmurar" à definição.[5]

Não posso enfatizar de forma suficientemente firme toda a importância desse princípio. Eu o chamo de princípio de vida, porque meditar na Palavra de Deus ministrará vida a você e, enfim, aos que estão à sua volta.

Muitos cristãos têm se tornado temerosos da palavra "meditar" por causa das práticas de meditação das religiões pagãs e ocultistas. Mas insisto que você se lembre de que Satanás jamais teve a idéia original. Ele toma o que pertence ao Reino da Luz e o desvirtua para o reino da escuridão. Devemos ser suficientemente sábios para perceber que se a meditação produz tal poder para o lado do mal, ela também produzirá poder para a causa do bem. O princípio da meditação vem diretamente da Palavra de Deus. Vamos verificar o que a Bíblia tem a dizer sobre ele.

MEDITE E PROSPERE

Não cesses de falar deste Livro da Lei [este livro da Lei não deve se separar dos teus lábios]; antes, medita nele dia e noite, para que tenhas cuidado de

Capítulo 15

> *[observar e] fazer segundo tudo quanto nele está escrito; então, farás prosperar o teu caminho [e te conduzirás com sabedoria] e serás bem-sucedido.*
>
> Josué 1.8

Nesse versículo, o Senhor está nos dizendo claramente que jamais colocaremos sua Palavra em prática fisicamente se não a praticarmos primeiro mentalmente.

O Salmo 1.2-3 fala sobre o homem devoto e diz: *Antes, o seu prazer [e desejo] está na lei do Senhor, e na sua lei (os preceitos, as instruções, os ensinamentos de Deus) medita (reflete e estuda) de dia e de noite. Ele é como árvore [firmemente] plantada [e cuidada] junto a corrente de águas, que, no devido tempo, dá o seu fruto, e cuja folhagem não murcha; e tudo quanto ele faz será bem sucedido [e amadurecerá].*

MEDITE E SEJA CURADO

> *Filho meu, atenta para as minhas palavras; aos meus ensinamentos inclina os ouvidos. Não os deixes apartar-se dos teus olhos; guarda-os no mais íntimo do teu coração. Porque são vida para quem os acha e saúde para o seu corpo.*
>
> Provérbios 4.20-22

Lembrando-se de que uma das definições para a palavra "meditar" é atender, observe esta passagem das Escrituras que diz que as palavras do Senhor são fonte de saúde e cura para a carne.

Meditar (refletir, pensar sobre) a Palavra de Deus em nossa mente certamente afetará nosso corpo físico. Minha aparência mudou nos últimos dezoito anos. As pessoas me dizem que eu pareço ser pelo menos quinze anos mais nova hoje do que parecia quando comecei a estudar diligentemente a Palavra e fazê-la o foco central da minha vida inteira.

OUÇA E ESCOLHA

Então, lhes disse: Atentai no que ouvis. Com a medida [de meditação e estudo] com que tiverdes medido [a verdade que ouvis] vos medirão [será a medida de virtude e conhecimento] também, e ainda se vos acrescentará [mais a vós que ouvis].

Marcos 4.24

Esse princípio é como o de semear e colher. Quanto mais semeamos, mais colheremos à época da colheita. O Senhor está dizendo em Marcos 4.24 que quanto mais tempo colocarmos na meditação e estudo da Palavra que ouvimos, mais extrairemos dela.

LEIA E CEIFE

[As coisas estão temporariamente ocultas apenas como um meio de revelação]. Pois nada está oculto, senão para ser manifesto; e nada se faz [temporariamente] escondido, senão para ser revelado.

Marcos 4.22

Esses dois versos juntos estão nos dizendo que a Palavra tem escondidos nela tremendos tesouros, segredos poderosos que Deus quer nos revelar. Eles são revelados àqueles que refletem, estudam, pensam, praticam mentalmente e sussurram a Palavra de Deus.

Sei, como professora da Palavra de Deus, a verdade desse princípio. Parece que não há fim para o que Deus pode me mostrar em um versículo das Escrituras. Eu o estudo uma vez e observo uma coisa e em outra vez vejo alguma coisa nova que não havia notado antes.

O Senhor continua revelando seus segredos àqueles que são diligentes a respeito da Palavra. Não seja o tipo de pessoa que sempre quer viver à custa da revelação de outra pessoa. Estude a Palavra e permita que o Espírito Santo abençoe sua vida com a verdade.

Capítulo 15

Eu poderia continuar infindamente nesse assunto de meditar na Palavra de Deus. Como eu disse, é uma das coisas mais importantes que podemos aprender a fazer. O dia inteiro, enquanto você resolve seus assuntos diários, peça ao Espírito Santo que o lembre de certas passagens, então você poderá meditar nelas. Você ficará surpreso com a quantidade de poder que essa prática liberará à sua vida. Quanto mais você meditar na Palavra de Deus, mais você será capaz de extrair da sua força em tempos de dificuldade. Lembre-se: o poder para praticar a Palavra vem da prática de meditar nela.

RECEBA E ACOLHA A PALAVRA

> *Portanto, despojando-vos de toda impureza e acúmulo de maldade, acolhei, com mansidão [simplicidade, modéstia], a palavra em vós implantada [e enraizada em vossos corações], a qual é poderosa para salvar a vossa alma.*
>
> TIAGO 1.21

Vemos, nessa passagem, que a Palavra tem o poder de nos salvar de uma vida de pecado, mas apenas se a recebermos, a acolhermos, a implantarmos e a enraizarmos em nossos corações (mentes). Essa implantação e esse enraizamento ocorrem mediante a observação da Palavra de Deus — tendo-a em nossa mente mais do qualquer outra coisa.

Se meditarmos em nossos problemas todo o tempo, nos enraizaremos neles mais profundamente. Se meditarmos no que está errado conosco ou com os outros, nos tornaremos mais profundamente convencidos do problema e jamais veremos a solução. É como se houvesse um oceano de vida à nossa disposição e o instrumento que nos é dado para movê-lo é o estudo diligente e a meditação na Palavra de Deus.

ESCOLHA A VIDA!

> *Porque o pendor da carne [a mente da carne que é senso e razão sem o Espírito Santo] dá para a morte [a morte que consiste de todas as misérias advindas do pecado, tanto aqui como na vida futura], mas o do Espírito [Santo], para a vida [e alma] e paz [tanto aqui como na vida futura].*
>
> ROMANOS 8.6

Chamar sua atenção outra vez para Filipenses 4.8 parece ser uma boa maneira de encerrar esta parte do livro: *... Finalmente, irmãos, tudo o que é verdadeiro, tudo o que é respeitável [e digno de honra e decente], tudo o que é justo, tudo o que é puro, tudo o que é amável, tudo o que é de boa fama [agradável e gracioso], se alguma virtude [e excelência] há e se algum louvor existe, seja isso o que ocupe o vosso pensamento [pensai, examinai cuidadosamente e considerai essas coisas; fixai vossas mentes nelas].*

A condição em que sua mente deveria estar é descrita nessa passagem. Você tem a mente de Cristo, comece a usá-la. Se Ele não pensa em alguma coisa, você também não deverá pensar.

É por meio dessa contínua "vigilância" aos seus pensamentos que você começa a levar todo pensamento cativo à obediência de Jesus Cristo (2 Coríntios 10.5).

O Espírito Santo é rápido em lembrar-lhe se sua mente estiver começando a levá-lo na direção errada; então, a decisão é sua. Você fluirá na mente da carne ou na mente do Espírito? Uma conduz à morte; a outra, à vida. A escolha é sua.

Escolha a vida!

PARTE 3

Mentalidades de Deserto

Introdução

[É apenas] jornada de onze dias há desde Horebe, pelo caminho da montanha de Seir, até Cades-Barnéia [na fronteira de Canaã; ainda assim, Israel levou quarenta anos para atravessá-la].

DEUTERONÔMIO 1.2

O povo da nação de Israel vagou sem rumo no deserto por quarenta anos fazendo uma jornada que era, na realidade, de onze dias. Por quê? Foram seus inimigos, suas circunstâncias, as provações ao longo do caminho ou algo inteiramente diferente que os impediu de chegar ao destino?

Quando eu refletia sobre essa situação, Deus me deu uma revelação poderosa que tem ajudado tanto a mim como também a milhares de outras pessoas. O Senhor me disse: "Os filhos de Israel gastaram quarenta anos no deserto fazendo uma jornada de onze dias porque eles tinham uma 'mente de deserto'".

VOCÊ FICOU AQUI POR MUITO TEMPO

> *O Senhor, nosso Deus, nos falou em Horebe, dizendo:*
> *Tempo bastante haveis estado neste monte.*
>
> DEUTERONÔMIO 1.6.

Realmente não deveríamos olhar para os israelitas com tanta surpresa porque a maioria de nós faz a mesma coisa que eles fizeram. Nós nos mantemos andando em volta da mesma montanha, em vez de fazer progresso. O resultado é que levamos anos para experimentar vitória sobre alguma coisa com a qual poderíamos e deveríamos ter lidado rapidamente.

Penso que o Senhor está nos dizendo a mesma coisa que ele disse aos filhos de Israel no tempo deles:

Tempo bastante haveis estado neste monte; é hora de continuar.

FIXE SUA MENTE E MANTENHA-A FIXA

> *[Fixai as vossas mentes e] pensai nas coisas lá do alto*
> *(as coisas mais altas), não nas que são aqui da terra.*
>
> COLOSSENSES 3.2

Deus me mostrou dez "mentalidades de deserto" que os israelitas tinham e que os mantiveram no deserto. Esse é um tipo errado de mentalidade.

Podemos ter mentalidades certas ou erradas. As certas nos beneficiam e as erradas nos machucam e atrasam nosso progresso. Colossenses 3.2 nos ensina a fixar nossa mente e a mantê-la fixa. Precisamos fixar nossa mente na direção correta. Mentalidades erradas não apenas afetam nossas circunstâncias, mas também nossa vida interior.

Introdução

Algumas pessoas *vivem* em um deserto, enquanto outras *são* um deserto.

Houve um tempo em que minhas circunstâncias não eram realmente ruins, mas eu não podia desfrutar qualquer coisa em minha vida porque era um "deserto" por dentro. Eu e Dave tínhamos uma ótima casa, três filhos adoráveis, bons empregos e dinheiro suficiente para vivermos confortavelmente. Eu não podia desfrutar nossas bênçãos porque eu tinha diversas mentalidades de deserto. Minha vida me parecia ser um deserto porque era assim que eu enxergava tudo.

Algumas pessoas vêem as coisas negativamente porque experimentaram circunstâncias infelizes em toda a sua vida e não conseguem imaginar nada melhor. Há algumas pessoas que vêem tudo como mau e negativo simplesmente porque essa é a maneira que elas são por dentro. Seja qual for a causa, uma perspectiva negativa deixa uma pessoa infeliz e sem probabilidade de fazer qualquer progresso em direção à Terra Prometida.

Deus havia tirado os filhos de Israel da escravidão do Egito para irem à terra que ele havia prometido dar-lhes como herança eterna – uma terra da qual manava leite e mel e todas as coisas boas que eles podiam imaginar: uma terra onde não haveria escassez de qualquer coisa de que eles precisassem, uma terra de prosperidade em todos os aspectos da existência deles.

A maior parte da geração que o Senhor tirou do Egito jamais entrou na Terra Prometida; em vez disso, morreram no deserto. Para mim, essa é uma das coisas mais tristes que pode acontecer a um filho de Deus – ter tanto à disposição e, apesar disso, jamais ser capaz de usufruir nada.

Fui uma dessas pessoas por muitos anos da minha vida cristã. Estava a caminho da Terra Prometida (o céu), mas não estava desfrutando a viagem. Estava morrendo no deserto. Mas, graças à misericórdia de Deus, uma luz brilhou na minha escuridão, e Ele me conduziu para fora.

Oro para que esta parte do livro seja uma luz para você e o prepare para sair do seu deserto para a gloriosa luz do maravilhoso Reino de Deus.

Capítulo 16

Meu Futuro é Determinado Pelo Meu Passado e Pelo Meu Presente

Mentalidade de Deserto N° 1

Não havendo profecia, o povo se corrompe...
PROVÉRBIOS 29.18

Os israelitas não tinham uma visão positiva para a vida deles – nenhum sonho. Eles sabiam de onde tinham vindo, mas não sabiam para onde estavam indo. Tudo era baseado no que eles haviam visto e podiam ver. Eles não sabiam ver com "o olho da fé".

UNGIDO PARA TRAZER LIBERTAÇÃO

O Espírito do Senhor está sobre mim, pelo que me ungiu para evangelizar os pobres; enviou-me para [curar os de coração quebrantados], proclamar libertação aos cativos e restauração da vista aos cegos, para pôr em liberdade os oprimidos. Para apregoar o ano aceitável do Senhor.
LUCAS 4.18,19

Capítulo 16

Venho de um passado de abusos; cresci em um lar disfuncional. Minha infância foi cheia de medo e de tormento. Os especialistas dizem que a personalidade de uma criança é formada nos cinco primeiros anos da sua vida. Minha personalidade era uma desordem! Vivia em simulação atrás de paredes de proteção que eu tinha construído para impedir que as pessoas me ferissem. Eu estava trancando os outros do lado de fora, mas estava também me trancando por dentro. Eu era uma controladora, tão cheia de medo que a única maneira que podia enfrentar a vida era sentir que estava no controle e, então, ninguém podia me ferir.

Como jovem adulta tentando viver para Cristo e seguir o estilo de vida cristão, eu sabia de onde tinha vindo, mas não sabia para onde estava indo. Sentia que meu futuro seria sempre frustrado pelo meu passado. Pensava: "Como poderia alguém que tem o tipo de passado que tenho estar algum dia realmente bem? É impossível"! Entretanto, Jesus disse que ele veio para curar todos aqueles que estavam doentes, com o coração despedaçado machucado e ferido, aqueles que estavam esmagados pela calamidade.

Jesus veio para abrir as portas da prisão e libertar os cativos. Não fiz nenhum progresso até que comecei a acreditar que poderia ser liberta. Tinha de ter uma visão positiva para minha vida; tinha de acreditar que meu futuro não estava determinado pelo meu passado ou mesmo meu presente.

Você pode ter tido um passado miserável, você pode até mesmo estar em circunstâncias negativas e depressivas. Você pode estar enfrentando situações tão más que parece que você não tem razão real para ter esperança. Mas eu lhe digo ousadamente: *seu futuro não é determinado pelo seu passado ou pelo seu presente!*

Adquira nova mentalidade. Creia que com Deus todas as coisas são possíveis (Lucas 18.27); com o homem algumas coisas podem ser impossíveis, mas nós servimos a um Deus que criou tudo que vemos do nada (Hebreus 11.3). Dê-lhe o seu nada e veja-o entrar em ação. Tudo de que Ele precisa é sua fé nEle, e Ele fará o resto.

OLHOS PARA VER, OUVIDOS PARA OUVIR

*Do tronco de Jessé sairá um rebento, e das suas raízes, um renovo.
Repousará sobre ele o Espírito do Senhor, o Espírito de
sabedoria e de entendimento, o Espírito de conselho e de fortaleza,
o Espírito de conhecimento e de temor do Senhor.
Deleitar-se-á no temor do Senhor; não julgará segundo
a vista dos seus olhos, nem repreenderá segundo
o ouvir dos seus ouvidos.*

ISAÍAS 11.1-3

Não podemos julgar as coisas corretamente pela visão dos nossos olhos naturais. Devemos ter "olhos para ver" e "ouvidos para ouvir" as coisas espirituais. Precisamos ouvir o que o Espírito diz, não o que o mundo diz. Permita que Deus lhe fale sobre seu futuro – não qualquer outra pessoa.

Os israelitas olhavam e falavam continuamente sobre como eram as coisas. Deus os tirou do Egito pelas mãos de Moisés, falando-lhes por meio dele sobre a Terra Prometida. Ele queria que eles mantivessem os olhos fixos no lugar para onde estavam indo e fora do lugar onde haviam estado. Vamos examinar algumas passagens que retratam claramente a atitude errada deles.

QUAL É O PROBLEMA?

*Todos os filhos de Israel murmuraram contra Moisés e contra
Arão [e se queixaram da sua situação]; e toda a congregação lhes disse:
Tomara tivéssemos morrido na terra do Egito ou mesmo neste deserto!
E por que nos traz o Senhor a esta terra, para cairmos à espada e para que
nossas mulheres e nossas crianças sejam por presa?
Não nos seria melhor voltarmos para o Egito?*

NÚMEROS 14.2-3

Capítulo 16

Encorajo-o a estudar essa passagem cuidadosamente. Observe como esse povo era negativo – queixoso, pronto para desistir com facilidade, preferindo voltar à escravidão a continuar através do deserto até a Terra Prometida.

Na verdade, eles não tinham um problema, eles eram o problema!

MAUS PENSAMENTOS PRODUZEM MÁS ATITUDES

> *Não havia água para o povo; então, se ajuntaram contra Moisés e contra Arão. E o povo contendeu com Moisés, e disseram: Antes tivéssemos perecido quando expiraram nossos irmãos [pela praga] perante o Senhor! Por que trouxestes a congregação do Senhor a este deserto, para morrermos aí, nós e os nossos animais?*
>
> NÚMEROS 20.2-4

É fácil ver, por meio de suas palavras, que os israelitas não estavam confiando em Deus de maneira alguma. Eles tinham uma atitude negativa, de fracasso. Eles decidiram que iriam fracassar antes mesmo que tivessem realmente começado, simplesmente porque cada circunstância não era perfeita. Eles exibiram uma atitude que veio de uma mentalidade errada.

Más atitudes são fruto de maus pensamentos.

FALTA DE ATITUDE E DE GRATIDÃO

> *Então, partiram do monte Hor, pelo caminho do mar Vermelho, a rodear a terra de Edom, porém o povo se tornou impaciente [deprimido, muito desencorajado] no caminho. E o povo falou contra Deus e contra Moisés: Por que nos fizestes subir do Egito, para que morramos neste deserto, onde não há pão nem água? E a nossa alma tem fastio deste pão vil [desprezível, insubstancial].*
>
> NÚMEROS 21.4-5

Juntamente com as outras atitudes más que já vimos nos versículos anteriores, nessa passagem nós vemos evidência nos israelitas de uma tremenda falta de gratidão. Os filhos de Israel simplesmente não poderiam deixar de pensar sobre o lugar de onde tinham vindo e onde haviam ficado por tempo suficientemente longo para chegarem onde eles estavam indo.

Teria ajudado se eles levassem em consideração seu patriarca Abraão. Ele passou por algumas experiências desapontadoras em sua vida, mas não permitiu que elas afetassem seu futuro negativamente.

COM CONTENDAS NÃO HÁ VIDA

> *Houve contenda entre os pastores do gado de Abrão e os pastores do gado de Ló. Nesse tempo os cananeus e os ferezeus habitavam essa terra [tornando mais difícil se obter forragem]. Disse Abrão a Ló: Não haja contenda entre mim e ti e entre os meus pastores e os teus pastores, porque somos parentes chegados. Acaso, não está diante de ti toda a terra? Peço-te que te apartes de mim; se fores para a esquerda, irei para a direita; se fores para a direita, irei para a esquerda. Levantou Ló os olhos e viu toda a campina do Jordão, que era toda bem regada (antes de haver o Senhor destruído Sodoma e Gomorra), como o jardim do Senhor, como a terra do Egito, como quem vai para Zoar. Então, Ló escolheu para si toda a campina do Jordão e [ele] partiu para o Oriente; separaram-se um do outro.*
>
> GÊNESIS 13.7-11

Abraão conhecia os perigos de viver em luta; portanto, ele disse a Ló que eles precisavam se separar. Para andar em amor e assegurar-se de que não haveria luta entre eles no futuro, Abraão permitiu que seu sobrinho escolhesse o vale que queria primeiro. Ló escolheu o melhor – o Vale do Jordão –, e eles se separaram.

Devemos nos lembrar de que Ló nada tinha até que Abraão o abençoasse. Pense na atitude que Abraão poderia ter tido, mas escolheu não ter! Ele sabia que se agisse adequadamente Deus tomaria conta dele.

LEVANTE OS OLHOS E VEJA

Disse o Senhor a Abrão, depois que Ló se separou dele: Ergue os olhos e olha desde onde estás para o norte, para o sul, para o oriente e para o ocidente; Porque toda essa terra que vês, eu ta darei, a ti e à tua descendência, para sempre.

GÊNESIS 13.14-15

Essa passagem revela claramente que Deus queria que Abraão "olhasse para cima" do lugar onde ele estava para o lugar que Deus queria levá-lo, mesmo que ele se encontrasse em circunstâncias menos desejáveis depois da sua separação do seu sobrinho.

Abraão teve uma atitude correta sobre sua situação, e como resultado o diabo não poderia impedir as bênçãos de Deus para ele. Deus lhe deu ainda mais possessões do que ele tinha antes da separação e o abençoou poderosamente de todas as maneiras.

Encorajo-o a olhar positivamente as possibilidades do futuro e começar a *chamar à existência as coisas que não existem [como se existissem]* – (Romanos 4:17).

Pense e fale sobre seu futuro de forma positiva, de acordo com o que Deus tem colocado em seu coração, e não de acordo com o que você viu no passado ou até mesmo está vendo no presente.

Capítulo 17

Alguém Faça Para Mim; Não Quero Assumir a Responsabilidade

Mentalidade de Deserto N° 2

Tomou Tera a Abrão, seu filho, e a Ló, filho de Harã, filho de seu filho, e a Sarai, sua nora, mulher de seu filho Abrão, e saiu com eles de Ur dos caldeus, para ir à terra de Canaã; foram até Harã, onde ficaram.

GÊNESIS 11.31

A responsabilidade é frequentemente definida como nossa resposta à habilidade de Deus. Ser responsável é responder às oportunidades que Deus tem colocado diante de nós.

Deus deu ao pai de Abrão uma responsabilidade, uma chance de responder à sua habilidade. Deus colocou diante dele a oportunidade de ir à Canaã. Mas, em vez de ir o caminho todo com o Senhor, ele escolheu parar e se estabelecer em Harã.

É bastante fácil ficarmos entusiasmados quando Deus fala conosco e nos dá uma oportunidade para fazer alguma coisa. Mas, como Tera, muitas vezes jamais terminamos o que começamos porque entramos e percebemos que há mais que arrepios e entusiasmo.

A maioria dos novos empreendimentos é estimulante simplesmente porque são novos. O excitamento carregará uma pessoa por um pouco de tempo, mas ele não a levará a cruzar a linha de chegada.

Muitos crentes fazem o que a Bíblia diz que Tera fez. Eles partem para um lugar e se estabelecem em algum outro ao longo do caminho. Eles ficam cansados ou exaustos; eles gostariam de terminar seu trajeto, mas realmente não querem a responsabilidade que vem com isso. Se alguém o fizesse por eles, eles adorariam colher a glória, mas isso simplesmente não funciona assim.

RESPONSABILIDADE PESSOAL NÃO PODE SER DELEGADA

No dia seguinte, disse Moisés ao povo: Vós cometestes grande pecado; agora, porém, subirei ao Senhor e, porventura, farei propiciação pelo vosso pecado. Tornou Moisés ao Senhor e disse: Ora, o povo cometeu grande pecado, fazendo para si deuses de ouro. Agora, pois, perdoa-lhe o pecado; ou, se não, risca-me, peço-te, do livro que escreveste.

ÊXODO 32.30-32

Em minha leitura e estudo, notei que os israelitas não queriam assumir responsabilidade por nada. Moisés fazia as orações deles; ele buscava a Deus por eles. Ele até mesmo se arrependeu por eles quando se envolveram em problemas. (Êxodo 32.1-14.)

Um bebê não tem nenhuma responsabilidade, mas, à medida que a criança cresce, espera-se que assuma mais e mais responsabilidades. Um dos principais papéis de um pai é ensinar seus filhos a aceitar responsabilidade. Deus deseja ensinar a mesma coisa aos seus filhos.

O Senhor me deu uma oportunidade para ser ministra em tempo integral – para ensinar sua Palavra no rádio e na televisão nacional –, para pregar o Evangelho em todo os Estados Unidos e em outros países. Mas asseguraro que há o lado da responsabilidade desse chamado do qual muitos nada sabem. Muitas pessoas dizem que querem ser ministros porque pensam que isso é um evento espiritual contínuo.

Muitas vezes as pessoas se inscrevem para um emprego em nossa organização pensando que a maior coisa que poderia acontecer com elas seria tornar-se uma parte de um ministério cristão. Mais tarde descobrem que têm de trabalhar lá o mesmo que em qualquer outro lugar; têm de se levantar e chegar lá na hora, submeter-se à autoridade, seguir uma rotina diária, etc. Quando as pessoas dizem que querem vir trabalhar conosco, digo-lhes que não flutuamos em torno de uma nuvem o dia inteiro cantando "Aleluia" – trabalhamos, e trabalhamos muito. Caminhamos em integridade e fazemos o que fazemos com excelência.

Claro, é um privilégio trabalhar em um ministério, mas tento mostrar aos novos candidatos que, quando os arrepios e a excitação tiverem diminuído, eles nos encontrarão esperando deles altos níveis de responsabilidade.

VAI TER COM FORMIGA!

Vai ter com a formiga, ó preguiçoso, considera os seus caminhos e sê sábio. Não tendo ela chefe, nem oficial, nem comandante, No estio, prepara o seu pão, na sega, ajunta o seu mantimento. Ó preguiçoso, até quando ficarás deitado? Quando te levantarás do teu sono? Um pouco para dormir, um pouco para tosquenejar, um pouco para encruzar os braços em repouso, Assim sobrevirá a tua pobreza como um ladrão [ou um que viaja com passos vagarosos mas com certeza que se aproximam], e a tua necessidade, como um homem armado [tornando-o desamparado].

PROVÉRBIOS 6.6-11

Capítulo 17

Essa mentalidade preguiçosa que os israelitas tinham era uma das coisas que os mantiveram por quarenta anos no deserto fazendo uma viagem de onze dias.

Gosto de ler essa passagem de Provérbios na qual nossa atenção é chamada para a formiga que, sem ter qualquer supervisor ou capataz, supre a si própria e à sua família.

Pessoas que sempre têm de ter alguém empurrando-as, realmente, jamais farão qualquer coisa grande. Aquelas que apenas fazem o que é certo quando alguém está olhando também não irão longe. Devemos ser motivados de dentro para fora, não de fora para dentro. Devemos viver nossa vida diante de Deus sabendo que ele vê tudo e que nossa recompensa virá dEle se persistirmos em fazer o que Ele nos pediu.

MUITOS CHAMADOS, POUCOS ESCOLHIDOS

> ... Porque muitos são chamados, mas poucos escolhidos.
>
> MATEUS 20.16

Certa vez, ouvi um professor de Bíblia dizer que esse verso significa que muitos são chamados ou lhes é dada uma oportunidade para fazer alguma coisa para o Senhor, mas muito poucos desejam assumir a responsabilidade para responder a esse chamado.

Como mencionei em um capítulo anterior, muitas pessoas têm "força-de-desejo", não força de caráter. Pessoas com "mentalidade de deserto" querem ter tudo e fazer nada.

LEVANTE-SE E VÁ!

> Sucedeu, depois da morte de Moisés, servo do Senhor, que este falou a Josué, filho de Num, servidor de Moisés, dizendo: Moisés, meu servo, é morto;

Alguém Faça Para Mim; Não Quero Assumir a Responsabilidade

> *dispõe-te, agora [toma o seu lugar], passa este Jordão, tu e todo este povo, à terra que eu dou aos filhos de Israel.*
> *Todo lugar que pisar a planta do vosso pé, vo-lo tenho dado, como eu prometi a Moisés.*
>
> JOSUÉ 1.1-3

Quando Deus disse a Josué que Moisés estava morto e ele devia tomar o seu lugar e conduzir o povo através do Jordão à Terra Prometida, isso significava muita responsabilidade nova para Josué.

O mesmo é verdade para nós quando nos adiantamos para reclamar nossa herança espiritual. Jamais teremos o privilégio de ministrar sob a unção de Deus se não desejarmos assumir nossa responsabilidade seriamente.

AGORA É TEMPO FAVORÁVEL!

> *Quem somente observa o vento [e espera que todas as condições sejam favoráveis] nunca semeará, e o que olha para as nuvens nunca segará.*
>
> ECLESIASTES 11.4

Em 1993, quando Deus mostrou a mim e ao Dave que ele queria que fôssemos à TV, Ele disse: "Estou lhes dando a oportunidade de ir à televisão; mas, se vocês não aproveitarem essa oportunidade agora, ela jamais se apresentará a vocês de novo". Talvez se Deus não nos deixasse saber que a oportunidade era para aquele momento em particular apenas, poderíamos ter procrastinado. Afinal de contas, estávamos, finalmente, em uma posição em que poderíamos nos sentir confortáveis.

Por nove anos estivemos no processo de "dar à luz" aos *Ministérios Vida na Palavra*. Agora Deus, subitamente, estava nos dando uma oportunidade para alcançar mais pessoas, o que desejávamos fazer de todo o nosso coração. Entretanto, para fazer isso teríamos de deixar nossa posição confortável e assumir novas responsabilidades.

Capítulo 17

Quando o Senhor pede ao seu povo que faça alguma coisa, há uma tentação para esperar por uma "época conveniente" (Atos 24.25). Há sempre uma tendência para reter até que não nos custe nada ou não seja tão difícil.

Encorajo-o a ser uma pessoa que não tenha medo de responsabilidade. Ao encontrar resistência, você construirá sua força. Se fizer apenas o que é fácil, sempre permanecerá fraco.

Deus espera que sejamos responsáveis e tomemos conta de tudo o que Ele nos dá – façamos alguma coisa com isso que produza bom fruto. Se não usarmos os dons e talentos que Ele tem nos dado, então não estaremos sendo responsáveis com o que Ele nos tem confiado.

ESTEJA PREPARADO!

Vigiai, pois [dai muita atenção e sede cautelosos e ativos],
porque não sabeis o dia nem a hora.

MATEUS 25.13

Mateus 25 é um capítulo da Bíblia que nos ensina o que devemos estar fazendo enquanto esperamos a volta do Mestre.

Os primeiros doze versos mostram as dez virgens –, cinco que eram tolas e cinco que eram sábias. As tolas não queriam fazer nada de extra para estarem certas de que estavam preparadas para encontrar o noivo quando ele retornasse. Elas fizeram o estritamente necessário com o que poderiam passar; elas não queriam andar a milha extra, então levaram apenas a quantia de óleo que precisavam para suas lâmpadas. As virgens sábias, entretanto, foram além do que elas absolutamente precisavam fazer. Elas levaram óleo extra para se assegurarem de que estavam preparadas para uma longa espera.

Quando o noivo veio, as tolas descobriram que suas lâmpadas estavam se apagando, e elas, claro, queriam que as sábias lhes dessem

Alguém Faça Para Mim; Não Quero Assumir a Responsabilidade

do óleo delas. É isso que geralmente acontece. Pessoas preguiçosas e procrastinadoras sempre querem que aqueles que trabalham duramente e assumem suas responsabilidades façam por eles o que eles mesmos deveriam estar fazendo.

USE O QUE LHE FOI DADO

... Servo mau e negligente!...
MATEUS 25.26

Mateus 25, então, registra uma parábola que Jesus contou sobre três servos aos quais foram dados talentos que pertenciam ao mestre deles. O mestre então viajou para um país distante, esperando que seus servos tomassem conta de seus bens enquanto ele estava ausente.

O homem que recebeu cinco talentos usou-os. Ele os investiu e ganhou outros cinco. O homem a quem foram dados dois talentos fez o mesmo. Mas o homem a quem foi dado um talento o enterrou no solo, porque estava muito amedrontado. Ele estava com medo de sair e fazer qualquer coisa. Ele teve medo da responsabilidade.

Quando o mestre retornou, ele elogiou os dois servos que haviam tomado os talentos que ele lhes havia dado e tinham feito alguma coisa com isso. Mas ao homem que enterrou seu talento e nada tinha feito com ele o mestre lhe disse, "Servo mau e negligente!" Ele, então, ordenou que seu único talento lhe fosse tirado e dado ao homem com os dez talentos, e que o servo preguiçoso e negligente fosse severamente punido.

Encorajo-o a responder à habilidade que Deus tem colocado em você fazendo tudo o que você puder com ela, para que quando o Mestre retornar você possa não apenas dar-lhe o que ele lhe deu, mas outro tanto.

A Bíblia claramente nos mostra que a vontade de Deus é que produzamos bons frutos. (João 15.16.)

Capítulo 17

LANÇANDO O CUIDADO, NÃO A RESPONSABILIDADE

> *Humilhai-vos, portanto, sob a poderosa mão de Deus, para que ele, em tempo oportuno, vos exalte, lançando sobre ele toda a vossa ansiedade, porque ele tem cuidado de vós.*
>
> 1 Pedro 5.6-7

Não tenha medo da responsabilidade. Aprenda a lançar seu cuidado, mas não sua responsabilidade. Algumas pessoas aprendem a não se preocupar com coisa alguma; tornando-se especialistas em "lançar seu cuidado", elas se tornam tão confortáveis que também lançam sua responsabilidade.

Ajuste sua mente para fazer o que está à sua frente e não fuja de nada só porque parece desafiador.

Lembre-se sempre de que, se Deus lhe dá tudo o que você pede, há uma responsabilidade que vem junto com a bênção. Se você tem uma casa ou um carro, Deus espera que você tome conta disso. Demônios da preguiça podem atacar sua mente e seus sentimentos, mas você tem a mente de Cristo. Você, certamente, pode reconhecer o engano do diabo e ir além dos seus sentimentos e fazer o que sabe que é certo. Pedir por alguma coisa é fácil... ser responsável por ela é a parte que desenvolve o caráter.

Recordo-me de uma época em que fiquei tentando convencer meu marido a comprar uma casa perto de um lago – um lugar onde pudéssemos ir para descansar, orar e estudar. Um lugar para "fugir de tudo". Disse-lhe como seria maravilhoso, como nossos filhos e netos poderiam usufruí-la e mesmo como poderíamos levar nossa liderança para lá e ter encontros de negócios e tempos gloriosos em oração juntos.

Tudo parecia muito bom e era muito bom para meu emocional, mas Dave ficava me dizendo tudo o que teríamos de fazer para cuidar dela. Ele me lembrou de como já éramos ocupados e que não tínhamos tempo para assumir a responsabilidade de outra casa. Ele me falou sobre o cuidado com a grama, a manutenção, os pagamentos, etc. Ele disse que seria melhor alugar um lugar quando precisássemos sair, e não assumir a responsabilidade de ter um.

Eu estava olhando para o lado emocional do assunto e ele, para o lado prático. Sempre que tomamos uma decisão devemos olhar para ambos os lados – não apenas o que será agradável, mas a responsabilidade que exigirá. Um lar junto a um lago é perfeitamente bom para aqueles que têm tempo para colocar nele, mas nós, realmente, não tínhamos. Bem no íntimo eu sabia disso, mas de vez em quando, durante um ano, tentei convencer Dave a comprar um.

Estou feliz porque ele se manteve firme. Se ele não tivesse, tenho certeza de que teríamos comprado a casa, a manteríamos por algum tempo e, provavelmente, acabaríamos por vendê-la, porque dava muito trabalho. Quando isso terminou, amigos nossos compraram uma casa junto ao lago e nos deixam usá-la quando nossa agenda e a deles permitem.

Se você for sábio, descobrirá Deus satisfazendo suas necessidades. Qualquer um andando na mente de Cristo caminhará em sabedoria – não em emoções.

Seja responsável!

Capítulo 18

Por Favor, Torne Tudo Fácil; Não Posso Aguentar se as Coisas Forem Muito Difíceis!

Mentalidade de Deserto N° 3

> Porque este mandamento que, hoje, te ordeno não é demasiado difícil, nem está longe de ti.
> DEUTERONÔMIO 30.11

Essa mentalidade errada é similar à que acabamos de discutir, mas um problema suficiente entre o povo de Deus que, acredito, merece mais um capítulo neste livro.

É uma das desculpas mais comuns que escuto das pessoas nas suas orações. Muito frequentemente alguém me procura para aconselhamento e oração e, quando lhe transmito o que a Palavra de Deus diz ou o que penso que o Espírito Santo está dizendo, sua resposta é: "Sei que isso é o certo; Deus tem me mostrado a mesma coisa. Mas, Joyce, *isso é muito difícil*".

Deus tem me mostrado que o inimigo tenta injetar essa frase nas mentes das pessoas para fazê-las desistir. Alguns anos atrás, quando Deus me revelou sua verdade, ele me instruiu a parar de dizer como as coisas eram difíceis, assegurando-me de que, se assim o fizesse, as coisas se tornariam mais fáceis.

Mesmo quando estamos determinados a continuar e fazer alguma coisa, gastamos tanto tempo pensando e conversando sobre "como é difícil" que o projeto termina sendo muito mais difícil do que teria sido se tivéssemos sido positivos em vez de sermos negativos.

Quando, inicialmente, comecei a ver na Palavra de Deus como se supunha que eu devia viver e me comportar e a comparar com o que estava vivendo, sempre dizia: "Quero fazer as coisas do teu jeito, Deus, mas é tão difícil". O Senhor levou-me a Deuteronômio 30.11, onde ele diz que seus mandamentos não são muito difíceis nem estão muito distantes de nós.

A razão de os mandamentos do Senhor não serem difíceis para nós é porque ele nos dá o seu Espírito para trabalhar poderosamente em nós e nos ajudar em tudo o que nos tem pedido.

O AJUDADOR

E eu rogarei ao Pai, e ele vos dará outro Consolador (Conselheiro, Ajudador, Intercessor, Advogado, Fortalecedor e Companheiro), a fim de que esteja para sempre convosco...

João 14.16

As coisas ficam difíceis quando estamos tentando fazê-las independentemente, sem nos apoiarmos e confiarmos na graça de Deus. Se tudo na vida fosse fácil, nem mesmo precisaríamos do poder do Espírito Santo para nos ajudar. A Bíblia se refere a ele como "o Ajudador". Ele está em nós e conosco todo o tempo para nos ajudar, para nos capacitar a fazer o que não podemos fazer – e, deveria acrescentar, fazer com facilidade o que seria difícil sem Ele.

O CAMINHO FÁCIL E O CAMINHO DIFÍCIL

> Tendo Faraó deixado ir o povo, Deus não o levou pelo caminho da terra dos filisteus, posto que mais perto, pois [Deus] disse: Para que, porventura, o povo não se arrependa, vendo a guerra, e torne ao Egito.
>
> ÊXODO 13.17

Você pode estar certo de que onde quer que Deus o conduza, ele é capaz de guardá-lo. Ele jamais permite que nos sobrevenha mais do que podemos suportar (1 Coríntios 10.13). Seja o que for que ordenar, ele paga por isso. Não precisamos viver em luta constante se aprendermos a nos apoiar nEle continuamente para ter a força de que precisamos.

Se você souber que Deus lhe pediu para fazer alguma coisa, não volte atrás apenas porque fica difícil. Quando as coisas ficarem difíceis, gaste mais tempo com ele, descanse mais nele e receba dele mais graça (Hebreus 4.16).

Graça é o poder de Deus que vem até você sem nenhum custo, para fazer, por seu intermédio, o que você não pode fazer por si próprio. Tome cuidado com pensamentos que dizem: "Não posso fazer isso; é muito difícil".

Algumas vezes Deus nos conduz pelo caminho difícil, em vez de nos levar pelo caminho fácil, porque Ele está fazendo um trabalho em nós. Como aprenderemos a descansar nEle se tudo em nossa vida é tão fácil que podemos dar conta sozinhos?

Deus conduziu os filhos de Israel pelo caminho longo e duro porque eles ainda eram covardes e Ele precisava fazer um trabalho neles para prepará-los para as batalhas que enfrentariam na Terra Prometida.

A maioria das pessoas pensa que entrar na Terra Prometida significa *não mais lutas*, mas isso não está correto. Se você ler os registros do que aconteceu depois que os israelitas atravessaram o Jordão e entraram para possuir a terra da promessa, verá que eles lutaram uma batalha após outra. Mas eles venceram todas as batalhas na força de Deus e sob a direção dEle.

Deus os conduziu pela rota mais longa e mais difícil, ainda que houvesse uma mais curta e mais fácil, porque Ele sabia que eles não estavam prontos para as batalhas que enfrentariam ao possuir a terra. Ele se importava com o fato de que eles, ao virem o inimigo, pudessem correr de volta para o Egito, então os levou pelo caminho mais difícil para ensinar-lhes quem Ele era e que não poderiam depender deles mesmos.

Quando uma pessoa está passando por um momento difícil, sua mente quer desistir. Satanás sabe que, se puder derrotar-nos em nossa mente, poderá nos derrotar em nossa experiência. Por isso é tão importante que não percamos o ânimo, não nos cansemos nem desfaleçamos.

MANTENHA-SE FIRME!

> E não [desanimemos, nem desfaleçamos nem] nos cansemos de fazer o bem [e agir nobremente], porque a seu tempo [e na estação certa] ceifaremos, se não [fraquejarmos] em nossa coragem, nem] desfalecermos.
>
> GÁLATAS 6.9

Perder o ânimo e desfalecer significa desistir na mente. O Espírito Santo nos diz para não desistirmos em nossa mente, porque, se persistirmos, finalmente colheremos.

Pense sobre Jesus. Imediatamente depois de ser batizado e cheio com o Espírito Santo, Ele foi conduzido pelo Espírito Santo ao deserto para ser testado pelo diabo. Não se queixou nem se tornou desencorajado e deprimido. Não pensou nem falou negativamente. Não ficou confuso tentando imaginar por que isso tinha de acontecer! Ele enfrentou cada teste vitoriosamente.

Em meio à sua provação e tentação, nosso Senhor não vagueou por quarenta dias e quarenta noites falando sobre como estava difícil. Ele extraiu forças de seu Pai celestial e saiu vitorioso (Lucas 4.1-13).

Você pode imaginar Jesus viajando pelo país com seus discípulos falando sobre como tudo era difícil? Você pode concebê-lo discutindo como seria ir para a cruz, ou como ele temia o que estava à frente, ou como era frustrante viver sob as condições da sua vida diária: perambulando pelo interior sem um lugar ao qual chamar de lar, sem um teto sobre a cabeça, sem cama para dormir à noite.

Quando viajo de um lugar ao outro por todo o mundo pregando o Evangelho, tenho aprendido a não falar sobre as dificuldades envolvidas no meu tipo de ministério. Tenho aprendido a não me queixar sobre como é difícil ficar em um hotel estranho cada vez, comer fora constantemente, dormir em uma cama diferente toda semana, ficar longe de casa, encontrar pessoas novas e me sentir confortável com elas quando já está na hora de ir embora.

Temos a mente de Cristo e podemos lidar com as coisas como Ele fez: estando mentalmente preparados pelo "pensamento de vitória" – não pelo "pensamento de desistência".

O SUCESSO SEGUE O SOFRIMENTO

Ora, tendo Cristo sofrido na carne [por nós, por vós], armai-vos também vós do mesmo pensamento [e propósito de sofrer pacientemente em vez de falhar, para agradar a Deus]; pois aquele que sofreu na carne [tendo a mente de Cristo] deixou [intencionalmente] o pecado [parou de agradar a si mesmo e ao mundo e agrada a Deus].
Para que, no tempo que vos resta na carne [vida natural], já não vivais de acordo com as paixões [e desejos] dos homens, mas [vivais] segundo a vontade de Deus.

I PEDRO 4.1,2

Capítulo 18

Essa passagem nos ensina um segredo no que diz respeito a como sobreviver a coisas e tempos difíceis. Aqui está minha interpretação desses dois versículos:

"Pense sobre tudo o que Jesus passou e como Ele suportou o sofrimento em sua carne, e isso o ajudará a passar por suas dificuldades. Arme-se para a batalha; prepare-se para ganhar pensando como Jesus fez... 'Sofrerei pacientemente, em vez de deixar de agradar a Deus...' Porque se eu sofrer, tendo a mente de Cristo nessa direção, não mais estarei vivendo para agradar a mim mesmo, fazendo tudo que é fácil e fugindo de tudo que é difícil. Mas serei capaz de viver para o que Deus deseja e não pelos meus sentimentos e pensamentos carnais."

Há um sofrimento "na carne" que teremos de suportar para fazer a vontade de Deus.

Minha carne nem sempre se sente confortável com o estilo ministerial de viagens, mas isso é a vontade de Deus para mim, portanto, preciso me armar com o pensamento correto sobre isso; de outra forma, sou derrotada antes mesmo de ter realmente começado.

Pode haver uma pessoa em sua vida de quem é muito difícil estar perto, e apesar disso você sabe que Deus quer que você insista com o relacionamento e não fuja dele. Sua carne sofre porque não é fácil estar perto dessa pessoa, mas você pode se preparar pensando adequadamente sobre a situação.

AUTO-SUFICIENTE NA SUFICIÊNCIA DE CRISTO

Tanto sei estar [rebaixado e] humilhado [em circunstâncias hostis] como também ser honrado [e desfrutar a fartura e viver na abundância]; de tudo e em todas as circunstâncias, já tenho experiência [aprendi o segredo para enfrentar cada situação], tanto de fartura como de fome; assim de abundância como de escassez.

Por Favor, Torne Tudo Fácil; Não Posso Aguentar se as Coisas Forem Muito...

Tudo posso naquele que me fortalece [estou pronto para qualquer coisa e a compensar qualquer coisa através dele que me infunde força interior; eu sou auto-suficiente na suficiência de Cristo].

FILIPENSES 4.12–13

O pensamento correto nos "arma" para a batalha. Ir à luta com o pensamento errado é como ir para a linha de frente de uma guerra sem arma. Se fizermos isso, não duraremos muito.

Os israelitas eram "chorões", uma das razões pelas quais eles vaguearam quarenta anos fazendo uma viagem de onze dias. Eles lamentavam-se por cada dificuldade e queixavam-se de cada novo desafio – sempre pensando sobre como as coisas eram difíceis. Sua mentalidade era: "Por favor, torne tudo fácil; não dou conta se as coisas forem tão difíceis"!

Recentemente percebi que muitos crentes são guerreiros de domingo e chorões de segunda-feira. Eles têm uma boa conversa no domingo – na igreja com seus amigos –, mas na segunda-feira, quando é hora de "caminhar e falar" e não há ninguém por perto para impressionar, eles desfalecem ao mais leve teste.

Se você é um chorão e um queixoso, obtenha uma nova mentalidade que diz: *Tudo posso naquele que me fortalece* (Filipenses 4.13).

Capítulo 19

Não Posso Evitar; Simplesmente Sou Viciado em Resmungar, Censurar e me Queixar

Mentalidade de Deserto N° 4

> *Porque isto é grato [é aprovado, aceitável], que alguém suporte tristezas, sofrendo injustamente, por motivo de sua consciência para com Deus. Pois [afinal], que glória há, se, pecando e sendo esbofeteados por isso, o suportais com paciência? Se, entretanto, quando praticais o bem, sois igualmente afligidos [sem o merecer] e o suportais com paciência, isto é [aceitável e] grato a Deus.*
>
> I PEDRO 2.19,20

Até que aprendamos a glorificar a Deus com nossas atitudes durante tempos difíceis, não seremos libertos. Não é o sofrimento que glorifica a Deus, mas uma atitude santa diante do sofrer que agrada ao Senhor e lhe traz glória.

Se vamos obter desses versículos o que Deus quer que tenhamos, teremos de lê-los vagarosamente e digerir cada frase e cada

Capítulo 19

sentença completamente. Admito que os estudei por anos tentando entender por que agradava tanto a Deus verme sofrer quando a Bíblia declara claramente que Jesus levou meus sofrimentos e dores da punição (Isaías 53.3-6).

Passaram-se muitos anos antes que eu percebesse que o foco desses versículos em 1 Pedro não é o sofrimento, mas a atitude que alguém deveria ter no sofrimento.

Observe a palavra "pacientemente" usada nessa passagem que diz que se alguém nos tratar mal e nós suportarmos pacientemente, isso é agradável a Deus. O que o agrada é nossa atitude paciente – não o sofrimento. Para nos encorajar em nosso sofrimento, somos exortados a ver como Jesus lidou com os ataques injustos endereçados a Ele.

JESUS COMO NOSSO EXEMPLO

Porquanto para isto mesmo fostes chamados [é inseparável da vossa vocação], pois que também Cristo sofreu em vosso lugar, deixando-vos exemplo [pessoal] para seguirdes os seus passos. O qual não cometeu pecado, nem dolo algum [ou culpa alguma] se achou em sua boca.
Pois ele, quando ultrajado [e insultado], não revidava com ultraje; quando maltratado [e injuriado], não fazia ameaças [de vingança], mas entregava-se àquele que julga retamente.

I Pedro 2.21- 23

Jesus sofreu gloriosamente! Silenciosamente, sem queixa, confiando em Deus, independentemente de como estavam as coisas, Ele permaneceu o mesmo em toda situação. Ele não respondeu pacientemente quando as coisas eram fáceis e impacientemente quando eram difíceis ou injustas.

A passagem acima nos permite saber que Jesus é nosso exemplo e que Ele veio para nos mostrar como viver. Como nos comportamos diante de outras pessoas mostra-lhes como elas deveriam viver. Ensinamos nossos filhos mais pelo exemplo do que pelas palavras. Devemos ser cartas vivas lidas por todos os homens (2 Coríntios 3.2-3) — luzes iluminando brilhantemente em um mundo escuro (Filipenses 2.15).

CHAMADOS À HUMILDADE, À SUBMISSÃO E À PACIÊNCIA

> *Rogo-vos [e imploro-vos], pois, eu, o prisioneiro no Senhor, que andeis (conduzais vossa vida) de modo digno da vocação [divina] a que fostes chamados [com o comportamento que é um crédito à convocação ao serviço de Deus], [Vivendo] com toda a humildade [de mente] e mansidão (altruísmo, bondade e brandura), com longanimidade, suportando-vos uns aos outros [e fazendo concessões] em amor.*
>
> EFÉSIOS 4.1,2

Algum tempo atrás, em nossa vida familiar, havia uma situação que serve como um excelente exemplo da minha visão sobre sofrer humilde, submissa e pacientemente.

Nosso filho Daniel tinha acabado de retornar de uma viagem missionária à República Dominicana. Ele voltou com uma séria erupção nos braços e várias feridas abertas. Tinham-lhe dito que era a versão dominicana de urticária. Parecia tão mal que sentimos que precisávamos confirmar o que era. Nosso médico da família estava fora aquele dia, então marcamos uma consulta com o médico que o estava substituindo.

Nossa filha Sandra telefonou e marcou uma consulta. Disse-lhe como Daniel estava, que ela era sua irmã e o levaria ao consultório. Nós todos estávamos muito ocupados naquele dia, inclusive Sandra. Depois de dirigir quarenta e cinco minutos, ela chegou ao consultório, onde lhe disseram: "Oh, desculpe-me, mas é nossa norma não atender menores desacompanhados de um dos pais."

Capítulo 19

Sandra explicou que, quando ligou, ela tinha dito especificamente que estaria trazendo seu irmão – que ela frequentemente o levava ao médico por causa das nossas viagens. A enfermeira manteve-se firme em que ele precisava ter um dos pais com ele.

Sandra tinha a oportunidade de sentir-se irritada. Ela havia se esforçado para acrescentar essa incumbência ao seu já apertado esquema apenas para descobrir que seus planejamentos e esforços foram todos em vão. Ela tinha outros quarenta e cinco minutos de viagem de volta esperando por ela, e tudo parecia um grande desperdício de tempo.

Deus a ajudou a manter-se calma e amável. Ela chamou Dave, que estava visitando a mãe dele, e ele disse que viria e cuidaria da situação. Dave sentiu-se direcionado a passar pelo nosso escritório e apanhar alguns dos meus livros e fitas, sem mesmo saber o que faria com eles. Ele apenas sentiu que devia apanhá-los.

Quando ele chegou ao consultório do médico, a mulher que estava registrando os pacientes perguntou a Dave se ele era um ministro e se era casado com Joyce Meyer. Ele respondeu que sim, e ela disse que tinha me visto na televisão e tinha ouvido tanto os nomes das pessoas da família que imaginou se poderia ser a mesma pessoa. Dave conversou com ela um pouco e deu-lhe um dos meus livros sobre cura emocional.

Meu motivo em contar-lhe esta história é este: e se Sandra tivesse perdido a calma e ficado impaciente? Seu testemunho ficaria marcado, se não arruinado. Na verdade, poderia ter causado um dano emocional à senhora que me assiste na televisão e, então, observa minha família comportando-se mal.

Muitas pessoas no mundo estão tentando encontrar Deus, e o que nós lhes mostramos é muito mais importante do que o que lhes dizemos. É importante, é claro, que verbalmente compartilhemos o Evangelho, mas fazer isso e negar o que dissemos com nosso comportamento é pior do que não dizer nada.

Não Posso Evitar; Simplesmente Sou Viciado em Resmungar, Censurar e...

Sandra suportou pacientemente seu sofrimento naquela situação, e a Palavra de Deus afirma que somos chamados para esse tipo de comportamento e atitude.

O SOFRIMENTO PACIENTE DE JOSÉ

> *Adiante deles enviou um homem, José, vendido como escravo.*
> *Cujos pés apertaram com grilhões e a quem puseram em ferros,*
> *Até cumprir-se a profecia [aos seus irmãos cruéis] a respeito dele,*
> *e tê-lo provado [e testado] a palavra do Senhor.*
>
> SALMO 105.17-19

Como um exemplo do Velho Testamento, pense sobre José, que foi injustamente maltratado por seus irmãos. Eles o venderam como escravo e disseram ao seu pai que ele havia sido morto por um animal selvagem. Nesse meio tempo, ele foi comprado por um homem rico chamado Potifar, que o levou para sua casa como escravo. Deus concedeu graça a José onde quer que fosse, e logo ele recebeu favor do seu senhor.

José continuou sendo promovido, mas outra coisa injusta lhe aconteceu. A esposa de Potifar tentou induzi-lo a ter um caso com ela, mas como era um homem íntegro, ele não quis nada com ela. Mentindo ao seu marido, ela disse que José a tinha atacado, o que o levou a ser preso por algo que não havia feito.

José tentou ajudar os outros o tempo todo em que esteve na prisão. Ele nunca se queixou e, como tinha uma atitude correta ao sofrer, Deus finalmente o libertou e promoveu. No final ele teve tanta autoridade no Egito que ninguém mais no país estava acima dele, exceto o próprio Faraó.

Deus também justificou José no que dizia respeito à situação com seus irmãos. Eles tiveram de vir a José para comprar comida quando toda a terra estava em um período de fome. Mais uma vez

Capítulo 19

José demonstrou uma atitude piedosa não maltratando seus irmãos, ainda que merecessem. Ele lhes disse que o que eles haviam feito de mal Deus havia transformado em bem – que eles estavam nas mãos de Deus, não nas dele, e que ele não tinha o direito de fazer nada exceto abençoá-los (veja Gênesis capítulos 39-50).

OS PERIGOS DA QUEIXA

> *Não ponhamos o Senhor à prova [não tentemos sua paciência, não o avaliemos criticamente, nem exploremos sua bondade], como alguns deles já fizeram e pereceram pelas mordeduras das serpentes. Nem murmureis, como alguns deles murmuraram e foram destruídos pelo exterminador (morte). Estas coisas lhes sobrevieram como exemplos [e aviso a nós] e foram escritas para advertência nossa [para nos qualificar para a atitude correta pela boa instrução], de nós outros sobre quem os fins dos séculos têm chegado (sua consumação e período conclusivo).*
>
> I CORÍNTIOS 10.9-11

Nessa passagem, podemos rapidamente ver a diferença entre José e os israelitas. Ele não se queixou de forma alguma, e tudo o que eles fizeram foi lamentar-se sobre cada pequena coisa que não saía do jeito deles. A Bíblia é muito específica sobre os perigos de resmungar, censurar e queixar-se.

A mensagem é bastante clara. A queixa dos israelitas abriu a porta para o inimigo, que veio e os destruiu. Eles deveriam ter apreciado a bondade de Deus, mas não o fizeram e, então, eles pagaram o preço.

O relato dos seus sofrimentos foi escrito para nos mostrar o que acontece se nos comportarmos da forma como eles o fizeram.

Queixamo-nos com a boca se antes não tivermos nos queixado em pensamentos. Queixar-se é, definitivamente, uma Mentalidade de deserto que nos impedirá de atravessar para a Terra Prometida.

Jesus é nosso exemplo e deveríamos fazer o que Ele fez.
Os israelitas *queixaram-se e permaneceram* no deserto.
Jesus *louvou e foi ressuscitado* dos mortos.

Nesse contraste podemos ver o poder do louvor e ações de graças e também o poder de queixar-se. Sim, queixar-se, resmungar, murmurar e censurar têm poder – mas é um poder negativo. Cada vez que entregamos nossa mente e nossos lábios a qualquer deles, estamos dando a Satanás um poder que Deus não o autorizou a ter.

NÃO RESMUNGUE, CENSURE NEM SE QUEIXE

Fazei tudo sem murmurações nem contendas [nem censuras contra Deus, sem questionamento nem dúvida entre vós], para que vos torneis irrepreensíveis e sinceros [inocentes e incontaminados], filhos de Deus inculpáveis (sem defeito, incensuráveis) no meio de uma geração pervertida e corrupta [espiritualmente pervertida e perversa], na qual resplandeceis como luzeiros (estrelas ou faróis brilhando claramente] no mundo [escuro].

FILIPENSES 2.14-15

Algumas vezes parece que o mundo inteiro está se queixando. Há muito murmúrio e queixa e tão pouca gratidão e apreciação. As pessoas se queixam sobre seu trabalho e seu chefe, quando deveriam ser agradecidas por terem um trabalho regular e apreciar o fato de não estarem vivendo em um abrigo para desempregados em qualquer lugar ou em pé na fila da sopa.

Muitas daquelas pessoas pobres ficariam emocionadas por terem um emprego, apesar das suas imperfeições. Elas estariam mais do que desejosas de tolerar um chefe não tão perfeito para ter um salário regular, viver na própria casa e cozinhar a própria comida.

Talvez você realmente precise de um emprego mais bem pago, ou talvez você tenha um chefe que o trata injustamente. Isso é uma infelicidade, mas a saída não é por meio da queixa.

Capítulo 19

NÃO SE LAMENTE OU SE PREOCUPE – ORE E AGRADEÇA!

Não [lamenteis nem] andeis ansiosos de coisa alguma; em tudo [em cada circunstância e em tudo], porém, sejam conhecidas, diante de Deus, as vossas petições, pela oração e pela súplica (pedidos definidos), com ações de graças [continuai a fazer vossos pedidos conhecidos a Deus.

FILIPENSES 4.6

Nesse versículo, o apóstolo Paulo nos ensina como resolver nossos problemas. Ele nos instrui a orar *com ações de graças em todas as* circunstâncias.

O Senhor ensinou-me o mesmo princípio desta maneira: "Joyce, por que eu deveria lhe dar qualquer coisa se você não é grata pelo que já tem? Por que deveria dar-lhe algo mais sobre o que se queixar"?

Se não pudermos oferecer nossos atuais pedidos de oração de uma base de vida cheia de ações de graças, não conseguiremos uma resposta favorável. A Palavra não diz orar com queixas, ela diz orar com ações de graças.

Murmuramos, resmungamos, censuramos e queixamos, geralmente, quando algo não saiu do jeito que queríamos, ou quando estamos tendo de esperar por alguma coisa por mais tempo do que o esperado. A Palavra de Deus nos ensina que devemos ser pacientes durante esses tempos.

Descobri que a paciência não é a habilidade de esperar, mas a habilidade de manter uma boa atitude enquanto se espera.

É muito importante que este assunto de queixas e todos os tipos relacionados de pensar e conversar negativamente sejam encarados muito seriamente. Creio sinceramente que Deus me deu uma revelação de como é perigoso permitir que nossa mente e nossos lábios sejam controlados por eles.

Deus disse aos israelitas em Deuteronômio 1.6: ...*Tempo bastante haveis estado nesse monte.* Talvez você tenha estado em volta da

Não Posso Evitar; Simplesmente Sou Viciado em Resmungar, Censurar e...

mesma montanha muitas vezes e agora esteja pronto para continuar. Se assim é, será bom lembrar-se de que você não irá adiante de maneira positiva enquanto seus pensamentos e sua conversa estiverem cheios de queixas.

Eu não disse que seria fácil não se queixar, mas você tem a mente de Cristo. Por que não tirar o máximo proveito dela?

Capítulo 20

Não me Faça Esperar por Nada; Mereço Tudo Imediatamente

Mentalidade de Deserto N° 5

Sede, pois, irmãos, pacientes [enquanto esperais], até à vinda do Senhor. Eis que o lavrador aguarda com paciência o precioso fruto da terra, [vede como ele se mantém paciente e vigilante sobre ele] até receber as primeiras e as últimas chuvas.

TIAGO 5.7

A impaciência é fruto do orgulho. Uma pessoa orgulhosa parece não poder esperar por qualquer coisa com uma atitude adequada. Como discutimos no capítulo anterior, a paciência não é a habilidade de esperar, é a habilidade de manter uma boa atitude enquanto se espera.

A Bíblia não diz "seja paciente se você esperar"; ela diz "seja paciente *enquanto* você esperar". Esperar é parte da vida. Muitas pessoas não "esperam bem" e, no entanto, na verdade, gastamos mais tempo em nossa vida esperando do que recebendo.

O que quero dizer é isto: pedimos alguma coisa a Deus em oração crendo e, então, esperamos pela sua manifestação. Quando ela chega, nós nos regozijamos porque, finalmente, recebemos o que estávamos esperando.

Entretanto, como somos pessoas direcionadas a atingir um objetivo, que devem sempre ter alguma coisa pelo que lutar — alguma coisa a esperar —, vamos imediatamente de volta ao processo de pedir e crer em Deus por alguma outra coisa e esperar e esperar mais algum tempo até que o próximo avanço venha.

Pensar sobre essa situação fez-me perceber que gasto muito mais tempo da minha vida esperando do que recebendo. Então, decidi aprender a usufruir o tempo de espera, não apenas o tempo de receber.

Precisamos aprender a aproveitar onde estamos, enquanto estamos a caminho de onde estamos indo!

O ORGULHO IMPEDE A ESPERA PACIENTE

Porque, pela graça (favor imerecido de Deus) que me foi dada, digo a cada um dentre vós que não pense de si mesmo [não se valorize] além do que convém [não tenha uma opinião exagerada de sua própria importância]; antes, pense [sobre sua habilidade] com moderação, segundo a medida da fé que Deus repartiu a cada um.

ROMANOS 12.3

É impossível usufruir a espera se você não sabe como esperar pacientemente. O orgulho impede a espera paciente porque a pessoa orgulhosa pensa tão bem sobre si mesma que acredita que jamais deveria ser incomodada sob qualquer aspecto.

Embora não devamos pensar mal de nós mesmos, também não devemos pensar tão favoravelmente a nosso próprio respeito. É perigoso nos colocarmos num lugar tão elevado que nos leve a menosprezar os outros. Se eles não estiverem fazendo as coisas da maneira que queremos ou tão rapidamente quanto pensamos que deveriam ser feitas, nos comportamos impacientemente.

Uma pessoa humilde não mostrará uma atitude impaciente.

SEJA REALISTA!

> ... No mundo, passais por aflições [provações e tribulações e frustrações]; mas tende bom ânimo [tende coragem; sede confiantes, seguros, destemidos]; eu venci o mundo [eu o privei de poder para fazer-vos mal e o conquistei para vós].
>
> João 16.33

Outra maneira pela qual Satanás usa nossa mente para nos conduzir a um comportamento impaciente é nos levar a pensar que somos idealistas em vez de realistas.

Se colocarmos na nossa cabeça a idéia de que tudo o que diz respeito a nós, nossas circunstâncias e a nossos relacionamentos deveria ser sempre perfeito – nenhuma dificuldade, nenhum obstáculo, nenhuma pessoa desagradável com quem lidar –, então estamos caminhando para uma queda. Ou, na verdade, deveria dizer que Satanás está nos determinando uma queda pela nossa forma errada de pensar.

Não estou sugerindo que sejamos negativos; sou uma crente firme em atitudes e pensamentos positivos. Mas estou sugerindo que sejamos realistas o suficiente para percebemos antecipadamente que muito poucas coisas na vida real são perfeitas.

Meu marido e eu viajamos quase todo final de semana para uma cidade diferente para dirigir conferências. Muitas vezes alugamos salões de baile de hotéis e centros cívicos ou de convenções. No início eu ficava impaciente e frustrada cada vez que alguma coisa saía errada em um desses lugares – coisas como o ar-condicionado que não funcionava direito (ou talvez nem funcionasse de jeito nenhum), ou iluminação insuficiente no salão de conferência, cadeiras manchadas e rasgadas com o estofamento escapando para fora, ou restos do bolo da recepção de casamento da noite anterior ainda no chão.

Eu sabia que havíamos pago um bom dinheiro pelo uso dessas salas e que as havíamos alugado de boa-fé, esperando que estivessem em boas condições, então ficava muito irritada quando isso não acontecia. Fazíamos tudo o que podíamos para tentar assegurar que os lugares que alugávamos eram limpos e confortáveis, mas, apesar disso, em 75 por cento deles alguma coisa não correspondia às nossas expectativas.

Houve ocasiões em que nos prometeram reserva antecipada para nossa equipe de viagem; entretanto, nós chegávamos e nos diziam que não haveria salas disponíveis por muitas horas. Os funcionários do hotel frequentemente davam informações erradas a respeito dos horários das nossas reuniões, apesar de ter-lhes sido dito repetidas vezes e até mesmo ter-lhes sido enviado material impresso com as datas e horários exatos. Frequentemente empregados do hotel e do bufê eram rudes e preguiçosos. Muitas vezes a comida que pedíamos para o lanche não era a que supúnhamos ser.

Lembro-me de uma vez em particular quando a sobremesa servida às nossas mulheres cristãs (aproximadamente oitocentas) foi regada com rum. A cozinha misturou os pratos com os que estavam sendo servidos em uma recepção de casamento. É desnecessário dizer que ficamos um pouco embaraçados quando as mulheres começaram a dizer que a sobremesa tinha gosto de licor.

Eu poderia me alongar, mas o ponto é simplesmente este: ocasionalmente, mas muito raramente, acabávamos num lugar perfeito, com pessoas perfeitas e um seminário perfeito.

Finalmente, percebi que uma das razões por que essas situações me deixavam impaciente e me comportando mal é que estava sendo idealista, e não realista.

Não me Faça Esperar por Nada; Mereço Tudo Imediatamente

Não planejo para o fracasso, mas lembro-me de que Jesus disse que neste mundo teríamos de lidar com tribulações, provações, aflições e frustrações. Essas coisas são parte da vida nesta terra – para o crente, como também para o descrente. Mas todos os infortúnios do mundo não podem nos ferir se permanecermos no amor de Deus, manifestando o fruto do Espírito.

PACIÊNCIA: PODER PARA PERSEVERAR

Revesti-vos, pois, como eleitos de Deus (seus representantes próprios escolhidos), [que são] santos e amados [pelo próprio Deus, revestindo-vos de um comportamento marcado] de ternos afetos de misericórdia, de bondade, de humildade, de mansidão, de longanimidade [que é incansável e resignada e tem o poder de suportar o que quer que venha, com bom humor].

COLOSSENSES 3.12

Volto-me para essa passagem frequentemente para me lembrar do tipo de comportamento que deveria estar demonstrando em todas as situações. Recordo a mim mesma que paciência não é minha habilidade de esperar, mas minha habilidade de manter uma boa atitude enquanto espero.

A PACIÊNCIA É REVELADA PELAS PROVAÇÕES

Meus irmãos, tende por motivo de toda alegria o [enfrentardes ou] passardes por várias provações [de qualquer tipo, ou cairdes em várias tentações]. Sabendo [e entendendo] que a provação [e teste] da vossa fé, uma vez confirmada, produz perseverança [constância e paciência]. Ora, a perseverança [e a constância e a paciência] deve ter ação completa [e fazer um trabalho completo], para que sejais [pessoas] perfeitas e íntegras [sem defeito], em nada deficientes.

TIAGO 1.2-4

A paciência é fruto do Espírito (Gálatas 5.22) e é depositada no espírito de cada pessoa nascida de novo. A revelação ou a manifestação da paciência pelo seu povo é muito importante para o Senhor. Ele quer que outras pessoas vejam seu caráter por meio dos seus filhos.

O capítulo 1 do livro de Tiago nos ensina que quando nos tornarmos perfeitos não estaremos precisando de mais nada. O diabo não pode controlar um homem paciente.

Tiago 1 também nos ensina que deveríamos nos regozijar quando nos encontrarmos envolvidos em situações difíceis, sabendo que o método que Deus usa para revelar a paciência em nós é pelo que a versão *New King James* chama de "várias provações".

Tenho descoberto em minha própria vida que "várias provações", finalmente, revelaram a paciência em mim, mas primeiro me trouxeram uma porção de outras coisas que não eram características divinas: coisas como orgulho, ira, rebeldia, autopiedade, lamentação e muitas outras. Parece que essas outras coisas devem ser enfrentadas e trabalhadas antes que a paciência surja.

PROVAÇÕES OU DIFICULDADES?

Então, partiram do monte Hor, pelo caminho do mar Vermelho, a rodear a terra de Edom, porém o povo se tornou impaciente (deprimido, muito desencorajado) no caminho [por causa das provações].

NÚMEROS 21.4

Se você se lembra, uma atitude impaciente foi uma das mentalidades de deserto que mantiveram os israelitas vagueando nele por quarenta anos.

Como poderiam essas pessoas estar prontas para entrar na Terra Prometida e expulsar os atuais ocupantes para que pudessem possuir a terra se eles não podiam nem mesmo permanecer pacientes e imperturbáveis durante uma pequena dificuldade?

Realmente, encorajo-o a trabalhar com o Espírito Santo enquanto ele desenvolve o fruto da paciência em você. Quando mais você lhe resistir, mais longo será o processo. Aprenda a responder pacientemente a todos os tipos de provações e você se descobrirá vivendo uma qualidade de vida que não é apenas suportada, mas desfrutada em sua plenitude.

A IMPORTÂNCIA DA PACIÊNCIA E DA PERSISTÊNCIA

Com efeito, tendes necessidade de [paciência e] perseverança, para que, havendo feito [e realizado inteiramente] a vontade de Deus, [e portanto recebais e] alcanceis [e desfruteis plenamente] a promessa.

HEBREUS 10.36

Essa passagem nos diz que sem paciência e perseverança não receberemos as promessas de Deus. E Hebreus 6.12 nos diz que é apenas por meio da fé e da paciência que herdamos as promessas.

O homem orgulhoso corre na força da sua própria carne e tenta fazer as coisas acontecerem no seu tempo. O orgulho diz: "Estou pronto agora"! A humildade diz: "Deus sabe melhor e ele não se atrasará"!

Um homem humilde espera pacientemente; na verdade, ele tem um "temor reverencial" de se mover na força da sua própria carne. Mas um homem orgulhoso tenta uma coisa após outra, todas sem sucesso.

UMA LINHA RETA NEM SEMPRE É A DISTÂNCIA MAIS CURTA PARA UM OBJETIVO

Há caminho que parece direito ao homem [e parece reto a ele], mas afinal são caminhos de morte.

PROVÉRBIOS 16.25

Precisamos aprender que no mundo espiritual, às vezes, uma linha reta não é a menor distância entre nós e onde queremos estar. Pode ser apenas a distância mais curta para a destruição.

Devemos aprender a ser pacientes e esperar no Senhor, mesmo que pareça que Ele esteja nos levando por um caminho de círculos para chegarmos ao nosso destino almejado.

Há multidões de cristãos infelizes, vazios no mundo, simplesmente porque eles estão tentando fazer alguma coisa acontecer em vez de esperar pacientemente que Deus faça com que as coisas aconteçam em Seu próprio tempo e da Sua própria maneira.

Quando você estiver tentando esperar em Deus, o diabo aprisionará sua mente continuamente, exigindo que você "faça alguma coisa". Ele quer movê-lo em zelo carnal porque sabe que a carne não lucra nada (João 6.63; Romanos 13.14).

Como vimos, a impaciência é sinal de orgulho, e a única resposta ao orgulho é a humildade.

HUMILHE-SE E ESPERE NO SENHOR

> *Humilhai-vos [minimizai-vos, diminui-vos em vosso próprio conceito], portanto, sob a poderosa mão de Deus, para que ele, em tempo oportuno, vos exalte.*
>
> 1 Pedro 5.6

A frase "Diminua-se em sua própria estima" não significa que você deve pensar mal a seu respeito. Ela simplesmente significa: "Não pense que você pode resolver todos os seus problemas sozinho".

Em vez de tomarmos os problemas orgulhosamente em nossas próprias mãos, devemos aprender a nos humilharmos debaixo da poderosa mão de Deus. Quando Ele souber que o tempo está correto, nos exaltará e nos levantará.

Não me Faça Esperar por Nada; Mereço Tudo Imediatamente

Quando esperamos em Deus e nos recusamos a nos mover no zelo da carne, acontece um "morrer para o eu". Começamos a morrer para nossos próprios caminhos e para nosso próprio tempo e a viver para a vontade e o caminho de Deus para nós.

Deveríamos estar sempre prontamente obedientes para fazer qualquer coisa que Deus nos pedisse, mas deveríamos também ter um temor piedoso do orgulho carnal. Lembre-se: é o orgulho que está na raiz da nossa impaciência. O homem orgulhoso diz: "Por favor, não me faça esperar por nada; mereço tudo imediatamente."

Quando você for tentado a se tornar frustrado e impaciente, recomendo-lhe que comece a dizer: "Senhor, quero a Tua vontade e o Teu tempo. Não quero estar na Tua frente, nem quero estar atrás de Ti. Ajuda-me, Pai, a esperar pacientemente em Ti".

Capítulo 21

Meu Comportamento Pode Estar Errado, Mas Não é Minha Culpa

Mentalidade de Deserto N° 6

*Então, disse o homem: A mulher que me deste por esposa, ela me deu [do fruto] da árvore, e eu comi.
...Respondeu a mulher: A serpente me enganou (me iludiu, levou a melhor e me ludibriou), e eu comi.*

GÊNESIS 3.12,13

A relutância de alguém em assumir responsabilidade pelas próprias ações, colocando a culpa de tudo o que está errado ou sai errado em outra pessoa é um motivo muito sério para uma vida de deserto.

Vemos o problema se manifestando desde o início dos tempos. Quando confrontados pelo seu pecado no Jardim do Éden, Adão e Eva culparam um ao outro, a Deus e ao diabo, evadindo-se, portanto, da responsabilidade pessoal pelas ações deles.

Capítulo 21

É TUDO CULPA SUA!

Ora, Sarai, mulher de Abrão, não lhe dava filhos; tendo, porém, uma serva egípcia, por nome Agar. Disse Sarai a Abrão: Eis que o Senhor me tem impedido de dar à luz filhos; toma, pois, a minha serva, e assim me edificarei com filhos por meio dela. E Abrão anuiu ao conselho de Sarai. Então, Sarai, mulher de Abrão, tomou a Agar, egípcia, sua serva, e deu-a por mulher a Abrão, seu marido, depois de ter ele habitado por dez anos na terra de Canaã. Ele a possuiu, e ela concebeu. Vendo ela que havia concebido, foi sua senhora por ela desprezada. Disse Sarai a Abrão: Seja sobre ti a afronta que se me faz a mim. Eu te dei a minha serva para a possuíres; ela, porém, vendo que concebeu, desprezou-me. Julgue o Senhor entre mim e ti. Respondeu Abrão a Sarai: A tua serva está nas tuas mãos, procede segundo melhor te parecer. Sarai humilhou-a, e ela fugiu de sua presença.

GÊNESIS 16.1-6

A mesma cena representada por Adão e Eva é vista aqui na disputa entre Abrão e Sara. Eles estavam cansados de esperar que Deus cumprisse sua promessa de uma criança nascida deles, então apelaram para a carne e "fizeram do jeito deles". Quando as coisas saíram erradas e começaram a causar problemas, eles começaram a culpar um ao outro.

No passado, observei esse mesmo tipo de cena inúmeras vezes, em meu próprio lar, entre Dave e eu. Parecia que estávamos continuamente nos evadindo dos problemas reais da vida, jamais querendo enfrentar a realidade.

Recordo-me vivamente de ter orado para que Dave mudasse. Eu estava lendo a Bíblia e via mais e mais os defeitos dele e como ele precisava ser diferente! Enquanto orava, o Senhor falou comigo: "Joyce, Dave não é o problema... Você é o problema."

Fiquei desolada. Chorei e chorei. Chorei por três dias porque Deus estava me mostrando como era viver na mesma casa comigo. Ele me mostrou como eu tentava controlar tudo o que acontecia, como resmungava e me queixava – e por aí afora. Foi uma bofetada chocante no meu orgulho, mas foi também o início da minha recuperação com o Senhor.

Como a maioria das pessoas, eu colocava a culpa de tudo em alguém mais ou em alguma circunstância além do meu controle. Pensava que estava agindo mal porque havia sido abusada, mas Deus me disse: "O abuso pode ser a razão de você agir dessa forma, mas não o use como desculpa para permanecer assim"!

Satanás trabalha com afinco em nossa mente – construindo fortalezas que nos impedem de enfrentar a verdade. A verdade nos libertará, e ele sabe disso!

Não creio que exista algo mais penoso emocionalmente do que enfrentar a verdade sobre nós mesmos e nosso comportamento. Como é penoso! A maioria das pessoas foge disso. É razoavelmente fácil enfrentar a verdade sobre alguma outra pessoa – mas quando precisamos nos enfrentar, achamos muito mais difícil.

SE...

E o povo falou contra Deus e contra Moisés: Por que nos fizestes subir do Egito, para que morramos neste deserto, onde não há pão nem água? E a nossa alma tem fastio deste pão vil (desprezível, insubstancial).

NÚMEROS 21.5

Como você deve se lembrar, os israelitas queixavam-se de que todos os seus problemas eram por culpa de Deus e de Moisés. Eles se eximiram com sucesso de qualquer responsabilidade pessoal por estarem no deserto por um tempo tão longo. Deus me mostrou que esta foi uma das principais mentalidades de deserto que os manteve lá por quarenta anos.

Capítulo 21

Foi também uma das principais razões por que gastei tantos anos caminhando em volta das mesmas montanhas em minha vida. Minha lista de desculpas porque estava agindo mal era infindável:

"Se não tivesse sido abusada quando criança, eu não seria malhumorada."

"Se meus filhos me ajudassem mais, eu agiria melhor."

"Se Dave não jogasse golfe aos sábados, eu não seria tão solitária."

"Se Dave me comprasse mais presentes, eu não seria tão negativa."

"Se eu não tivesse de trabalhar, não estaria tão cansada e irritável." (Então deixei o emprego, e então...)

"Se pudesse sair mais de casa, eu não ficaria tão aborrecida!"

"Se apenas tivesse mais dinheiro..."

"Se nós tivéssemos nossa própria casa..." (Então compramos uma e...)

"Se pelo menos não tivéssemos tantas contas..."

"Se tivéssemos vizinhos melhores ou amigos diferentes..."

Se! Se! Se! Se! Se! Se! Se! Se! Se! Se!

MAS...

Disse o Senhor a Moisés:
Envia homens que espiem [vós mesmos] a terra de Canaã, que eu hei de dar aos filhos de Israel; de cada tribo de seus pais enviareis um homem, sendo cada qual príncipe entre eles. Enviou-os Moisés do deserto de Parã, segundo o mandado do Senhor; todos aqueles homens eram cabeças dos filhos de Israel...
Ao cabo de quarenta dias, voltaram de espiar a terra. Caminharam e vieram a Moisés, e a Arão, e a toda a congregação dos filhos de Israel no deserto de Parã, a Cades; deram-lhes conta, a eles e a toda a congregação, e mostraram-lhes o fruto da terra.

> *Relataram a Moisés e disseram: Fomos à terra a que nos enviaste; e, verdadeiramente, mana leite e mel; este é o fruto dela. O povo, porém, que habita nessa terra é poderoso, e as cidades, mui grandes e fortificadas; também vimos ali os filhos de Anaque [de grande estatura e coragem].*
>
> NÚMEROS 13.1-3, 25-28

"Se" e "mas" são as duas palavras mais enganosas que Satanás planta em nossa mente. Os doze espias que foram enviados à Terra Prometida como patrulha de reconhecimento voltaram com um cacho de uvas tão grande que tinha de ser carregado em uma estaca por dois homens, mas o relatório que deram a Moisés e ao povo foi negativo.

Foi o "mas" que os derrotou! Eles deveriam ter mantido os olhos em Deus, e não no problema em potencial.

Uma das razões de nossos problemas nos derrotarem é porque pensamos que eles são maiores do que Deus. Essa pode ser também a razão por que temos dificuldade em enfrentar a verdade. Não estamos certos de que Deus pode nos mudar, então nos escondemos de nós mesmos, em vez de nos encararmos como realmente somos.

Agora não me é tão difícil encarar a verdade sobre mim mesma quando Deus está tratando de mim, porque sei que Ele pode me mudar. E já vi o que Ele pode fazer e confio nEle. Entretanto, no início da minha caminhada com Ele, era difícil. Tinha passado a maior parte da minha vida me escondendo de uma coisa ou de outra. Tinha vivido na escuridão por um tempo tão longo que sair para a luz não foi fácil.

A VERDADE NO ÍNTIMO

> *Compadece-te de mim, ó Deus, segundo a tua benignidade; e, segundo a multidão das tuas misericórdias [e amável bondade], apaga as minhas transgressões.*

Capítulo 21

> *Lava-me completamente [e repetidamente] da minha iniquidade e purifica-me [e limpa-me e faze-me inteiramente puro] do meu pecado. Pois eu conheço as minhas transgressões, e o meu pecado está sempre diante de mim. Pequei contra ti, contra ti somente, e fiz o que é mal perante os teus olhos, de maneira que serás tido por justo no teu falar e puro no teu julgar. Eu nasci na [em estado de] iniquidade, e em pecado me concebeu minha mãe [e eu sou pecador também]. Eis que te comprazes na verdade no íntimo e no recôndito me fazes conhecer a sabedoria.*
>
> SALMO 51.1-6

No Salmo 51, o Rei Davi estava clamando a Deus por misericórdia e perdão porque o Senhor estava tratando com ele sobre seu pecado com Bateseba e o assassinato de seu marido.

Acredite ou não, o pecado de Davi havia ocorrido um ano antes de esse salmo ser escrito, mas ele não o havia encarado nem reconhecido. Ele não estava enfrentando a verdade, mas, enquanto se recusasse a fazê-lo, não poderia se arrepender; e, enquanto não se arrependesse, Deus não poderia perdoá-lo.

O verso 6 dessa passagem é um versículo poderoso. Ele diz que Deus deseja a verdade "no íntimo". Isso significa que se desejar receber as bênçãos de Deus, deveremos ser honestos com Ele sobre nós e sobre nossos pecados.

A CONFISSÃO PRECEDE O PERDÃO

> *Se dissermos que não temos pecado nenhum [recusando-nos a admitir que somos pecadores], a nós mesmos nos enganamos, e a verdade [que o Evangelho apresenta] não está em nós [não habita em nossos corações]. Se [admitirmos de livre e espontânea vontade que somos pecadores e] confessarmos os nossos pecados, ele é fiel e justo (fiel à sua própria natureza e promessas) para nos perdoar os pecados [repudiar a nossa ilegalidade] e nos purificar [continuamente] de toda injustiça [de tudo que não está em conformidade com seu propósito, pensamento e ação].*

Meu Comportamento Pode Estar Errado, Mas Não é Minha Culpa

> *Se dissermos [alegarmos] que não temos cometido pecado [contradizemos a sua Palavra e], fazemo-lo mentiroso, e a sua palavra não está em nós [a mensagem divida do Evangelho não está em nossos corações].*
>
> 1 João 1.8-10

Deus é rápido para nos perdoar se nos arrependermos verdadeiramente, mas não podemos nos arrepender se não enfrentarmos e reconhecermos a verdade sobre o que fizemos.

Admitir que fizemos alguma coisa errada, mas, então, dar uma desculpa para o erro não é a maneira de Deus enfrentar a verdade. Naturalmente queremos nos justificar e às nossas ações, mas a Bíblia diz que nossa justificação encontra-se somente em Jesus Cristo (Romanos 3.20-24). Eu e você somos justificados diante de Deus depois de pecarmos apenas pelo sangue de Jesus — não por desculpas.

Lembro-me de quando uma vizinha me telefonou um dia e me pediu para levá-la ao banco naquele momento, antes que ele fechasse, porque o carro dela não estava ligando. Eu estava ocupada fazendo "minhas coisas" e não queria parar, então fui rude e impaciente com ela. Assim que desliguei o telefone, senti que tinha agido muito mal e que precisava ligar-lhe, pedir-lhe desculpas e levá-la ao banco. Minha mente estava cheia de desculpas que lhe daria por ter reagido tão mal: "Não estava me sentindo bem..." "Estava ocupada..." "Eu mesma estava tendo um dia difícil..."

Mas lá no meu espírito podia sentir o Espírito Santo me dizendo para não dar nenhuma desculpa!

"Apenas telefone-lhe e diga-lhe que você estava errada, ponto final! Não diga nada além de: 'Eu estava errada e não há desculpas para a forma como me comportei. Por favor, perdoe-me e deixe-me levá-la ao banco'."

Posso dizer-lhe que foi difícil fazer isso. Minha carne estava sendo cortada! Podia sentir esta coisinha correndo em volta da minha alma desesperadamente, tentando encontrar um lugar para se esconder. Mas não há como esconder-se da verdade, porque a verdade é luz.

A VERDADE É LUZ

> *No princípio [antes de tudo] era o Verbo (Cristo),*
> *e o Verbo estava com Deus, e o Verbo era Deus.*
> *Ele estava [presente] no princípio com Deus. Todas as*
> *coisas foram feitas [e vieram à existência] por intermédio dele, e, sem ele,*
> *nada [nem mesmo uma coisa] do que foi feito se fez. A vida*
> *estava nele e a vida era a luz dos homens.*
> *A luz resplandece nas trevas, e as trevas não prevaleceram*
> *contra ela [não a apagaram ou a absorveram*
> *nem se apropriaram dela nem foram receptivas a ela].*
>
> JOÃO 1.1-5

A verdade é uma das mais poderosas armas contra o reino das trevas. A verdade é luz, e a Bíblia diz que a escuridão jamais subjugou a luz e jamais subjugará.

Satanás quer manter as coisas escondidas na escuridão, mas o Espírito Santo quer trazê-las à luz e tratar delas, então podemos ser verdadeira e genuinamente livres.

Jesus disse que a verdade nos libertaria (João 8.32). Essa verdade é revelada pelo Espírito Santo.

O ESPÍRITO DE VERDADE

> *Tenho ainda muito que vos dizer, mas vós não o podeis*
> *suportar [nem compreender] agora.*
> *Quando vier, porém, o Espírito da verdade (o Espírito que dá a verdade),*
> *ele vos guiará a toda a verdade (a verdade total, completa)...*
>
> JOÃO 16.12,13

Meu Comportamento Pode Estar Errado, Mas Não é Minha Culpa

Jesus poderia ter mostrado toda a verdade aos seus discípulos, mas ele sabia que eles não estavam prontos para isso. Ele lhes disse que eles teriam de esperar até que o Espírito Santo descesse do céu para ficar com eles e morar neles.

Depois que Jesus subiu ao céu, Ele enviou o Espírito Santo para trabalhar conosco, preparando-nos continuamente para que a glória de Deus fosse manifesta por nosso intermédio, em vários níveis.

Como podemos ter o Espírito Santo trabalhando em nossa vida se não enfrentarmos a verdade? Ele é chamado de "O Espírito da Verdade". A faceta principal do seu ministério a nós é nos ajudar a enfrentar a verdade – trazer-nos a um lugar de verdade, porque apenas a verdade nos libertará.

Alguma coisa em seu passado – uma pessoa, um acontecimento ou circunstância que o magoou – pode ser a causa de sua atitude e de seu comportamento errado, mas não permita que isso se torne uma desculpa para permanecer dessa forma.

Muitos dos meus problemas de comportamento foram causados por ter sido sexual, verbal e emocionalmente abusada por muitos anos – mas fiquei presa aos padrões de comportamento errado quando usei o abuso como uma desculpa para eles. Isto é como defender seu inimigo dizendo: "Eu odeio esta coisa, mas é por isso que a guardo".

Você pode experimentar uma gloriosa liberdade de cada escravidão definitivamente. Você não precisa gastar quarenta anos vagueando no deserto. Ou, se você já gastou quarenta anos ou mais lá porque não sabia que as "mentalidades de deserto" o estavam mantendo lá, hoje pode ser o seu dia de decisão.

Peça a Deus que comece a mostrar-lhe a verdade sobre você mesmo. Quando ele o fizer, suporte! Não será fácil, mas lembre-se de que ele prometeu: "De maneira alguma te deixarei, nunca jamais te abandonarei" (Hebreus 13.5).

Você está a caminho da saída do deserto; desfrute a Terra Prometida!

Capítulo 22

Minha Vida é Tão Miserável; Tenho Pena de Mim Mesmo Porque Minha Vida é Tão Infeliz

Mentalidade de Deserto Nº 7

Levantou-se, pois, toda a congregação e gritou em voz alta; e o povo chorou aquela noite. Todos os filhos de Israel murmuraram [e lamentaram]...

NÚMEROS 14.1,2

Os israelitas se sentiam extremamente com pena deles mesmos. Cada dificuldade se tornava uma nova desculpa para se afundarem em autopiedade.

Lembro-me do que o Senhor me falou durante uma das minhas "festas de autopiedade". Ele disse: "Joyce, você pode ser lamentável ou cheia de poder, mas você não pode ser as duas coisas".

Este é um capítulo pelo qual não quero passar rapidamente. É vitalmente importante entender que *não podemos acolher certos demônios de autopiedade e também andar no poder de Deus!*

Capítulo 22

CONSOLEM-SE E EDIFIQUEM-SE UNS AOS OUTROS

> *Consolai-vos [admoestai-vos e exortai-vos], pois, uns aos outros e edificai-vos [fortalecei-vos e sustenta-vos] reciprocamente, como também estais fazendo.*
>
> I Tessalonicenses 5.11

Foi-me difícil abrir mão da pena; eu a havia usado por anos para me confortar quando estava sofrendo.

No instante em que alguém nos fere, em que experimentamos desapontamento, o diabo nomeia um demônio para nos cochichar mentiras sobre como fomos maltratados cruel e injustamente.

Tudo o que você precisa fazer é ouvir os pensamentos se precipitando em sua mente durante tais ocasiões e perceberá rapidamente como o inimigo usa a autopiedade para nos manter em escravidão.

A Bíblia, entretanto, não nos dá liberdade para sentir pena de nós mesmos. Em vez disso, devemos encorajar e edificar uns aos outros no Senhor.

Há um dom verdadeiro de compaixão, que é ter piedade divina por aqueles que estão sofrendo e gastar nossa vida aliviando o sofrimento deles. Mas a autopiedade é deturpada porque tomamos algo que Deus planejou para ser dado aos outros e o tomamos para nós.

O amor é da mesma maneira. Romanos 5.5 diz que o amor de Deus foi derramado em nosso coração pelo Espírito Santo. Ele fez isso para que pudéssemos saber quanto Deus nos amou e para que sejamos capazes de amar os outros.

Quando tomamos o amor de Deus, que deve ser distribuído, e o tomamos para nós mesmos, estamos sendo egoístas, o que na verdade nos destrói. Autopiedade é idolatria – voltarmo-nos para nós mesmos, concentrarmo-nos em nós e nos nossos sentimentos apenas nos faz cientes do nosso próprio eu e das nossas próprias necessidades e interesses – e essa é certamente uma forma mesquinha de viver.

PENSE NOS OUTROS

> *Não tenha cada um em vista o que é propriamente [meramente] seu [interesse], senão também cada qual o que é [interesse] dos outros.*
>
> FILIPENSES 2.4

Recentemente, um dos nossos compromissos de palestras foi cancelado inesperadamente. Era o que eu estava aguardando com mais interesse e, inicialmente, fiquei um pouco desapontada. Houve um tempo em que um incidente como esse teria me atirado em uma crise de autopiedade, crítica e julgamento da outra parte e todos os tipos de pensamentos e ações negativos. Tenho, desde então, aprendido a, nesse tipo de situação, simplesmente ficar quieta; é melhor não dizer nada do que dizer a coisa errada.

Quando me sentei silenciosamente, Deus começou a me mostrar a situação do ponto de vista das outras pessoas envolvidas. Eles não tinham conseguido encontrar um local para realizar o encontro, e Deus me mostrou como isso lhes causou desapontamento. Eles estavam contando com o encontro, aguardando-o com grande expectativa, e agora não poderiam tê-lo.

É surpreendente como podemos nos manter fora da autopiedade se olhamos para o lado da outra pessoa e não apenas para o nosso. A autopiedade é alimentada ao pensarmos apenas em nós e em ninguém mais.

Nós, literalmente, exaurimo-nos algumas vezes tentando ganhar a simpatia. Sim, a autopiedade é a maior armadilha e um dos instrumentos favoritos de Satanás para nos manter no deserto. Se não formos cuidadosos, poderemos, na verdade, nos tornar viciados nela.

Um vício é alguma feita como resposta automática a algum estímulo – um padrão de comportamento aprendido que se tornou habitual.

Quanto tempo você gasta em autopiedade? Como você responde aos seus desapontamentos?

Capítulo 22

Um cristão tem o privilégio raro quando experimenta desapontamento — ele pode ser *reapontado* (isto é, redirecionado. Grifo da tradutora) . Com Deus há sempre um novo começo à disposição. A autopiedade, entretanto, nos mantém presos ao passado.

CEDA E DEIXE DEUS AGIR!

Não vos lembreis [sinceramente] das coisas passadas, nem considereis as antigas. Eis que faço coisa nova, que está saindo à luz; porventura, não o percebeis [e sabeis nem prestareis atenção a ela]? Eis que porei um caminho no deserto e rios, no ermo.

Isaías 43.18,19

Desperdicei tantos anos da minha vida tendo pena de mim mesma! Era um daqueles casos de vício. Minha resposta automática a qualquer tipo de desapontamento era a autopiedade. Satanás, imediatamente, enchia minha mente com pensamentos errados e, sem saber como "pensar sobre o que estava pensando", eu simplesmente pensava em qualquer coisa que vinha à minha cabeça. Quanto mais pensava, mais condoída me sentia.

Frequentemente conto histórias dos anos iniciais do meu casamento. Todo domingo à tarde, durante a temporada de futebol, Dave queria assistir aos jogos na televisão. Se não fosse a temporada de futebol, era alguma outra "temporada de bola". Dave gostava muito de tudo isso, e eu não gostava de nada. Ele gostava de qualquer coisa que envolvesse uma bola pulando e podia ser tão facilmente envolvido por alguns esportes que nem mesmo se dava conta de que eu existia.

Certa vez, parei diante dele e disse claramente: "Dave, não me sinto nem um pouco bem; sinto-me como se fosse morrer".

Sem levantar os olhos da tela do televisor, ele disse: "Ah, que bom, querida".

Minha Vida é Tão Miserável; Tenho Pena de Mim Mesmo Porque Minha ...

Passei muitas tardes de domingo com raiva e com autopiedade. Sempre limpava a casa quando ficava irritada com Dave. Agora sei que estava tentando fazê-lo sentir-se culpado por se divertir enquanto eu estava tão infeliz. Eu costumava andar pela casa com raiva, batendo portas e gavetas, marchando para dentro e para fora do cômodo em que ele estava, com o aspirador de pó na mão, fazendo um grande alarido de como estava trabalhando duro.

Eu estava, claro, tentando atrair a atenção dele, mas ele quase não me notava. Eu desistia, ia para os fundos da casa, sentava-me no chão do banheiro para chorar. Quanto mais chorava, mais pena eu sentia de mim. Deus me deu uma revelação anos mais tarde sobre por que uma mulher vai ao banheiro para chorar. Ele disse que é porque há um grande espelho lá, e depois que ela chorou por um longo tempo pode ficar em pé e dar uma longa olhada para si mesma e ver como ela realmente parece lamentável.

Algumas vezes eu parecia tão mal quando via minha imagem no espelho que começava a chorar de novo. Finalmente, fazia meu último e pesaroso passeio pela sala de estar em que Dave estava, andando vagarosamente e muito deploravelmente. Ele, ocasionalmente, olhava-me o tempo suficiente para me pedir um chá gelado se eu fosse à cozinha.

A verdade é esta: não funcionou! Exauri-me emocionalmente – frequentemente acabando por me sentir fisicamente doente por causa de todas as emoções erradas que havia experimentado durante o dia.

Deus não vai libertá-lo pela sua própria mão, mas pela dEle. Apenas Deus pode mudar pessoas! Ninguém, exceto o Poderoso, poderia ter desencorajado Dave de assistir a tantos esportes como fazia. À medida que aprendi a confiar no Senhor e a parar de me revolver em autopiedade quando não conseguia as coisas do meu jeito, Dave realmente adquiriu mais equilíbrio no que diz respeito a assistir a eventos esportivos.

Capítulo 22

Ele ainda os aprecia, e agora isso realmente não me incomoda. Apenas uso o tempo para fazer coisas de que gosto. Se quero ou preciso mesmo fazer uma outra coisa, peço o Dave com doçura (não com raiva), e na maioria das vezes ele se mostra pronto a alterar seus planos. Há, entretanto, aquelas vezes – e sempre haverá – em que não consigo fazer como quero. Assim que sinto minhas emoções começarem a subir, oro: "Oh, Deus, ajuda-me a passar neste teste. Não quero rodear esta montanha nem mesmo uma vez mais"!

Capítulo 23

Não Mereço as Bênçãos de Deus Porque não Sou Digno

Mentalidade de Deserto N° 8

Disse mais o Senhor a Josué: Hoje, removi de vós o opróbrio do Egito; pelo que o nome daquele lugar se chamou Gilgal [removendo] até o dia de hoje.

Josué 5.9

Depois de Josué ter conduzido os israelitas através do Jordão para a Terra Prometida, havia alguma coisa que Deus precisava fazer antes que estivessem prontos para ocupar sua primeira cidade, que era Jericó.

O Senhor ordenou a todos os israelitas do sexo masculino que fossem circuncidados, uma vez que isso não havia sido feito durante todos os quarenta anos que eles haviam vagueado pelo deserto. Depois que isso foi feito, o Senhor disse a Josué que ele havia removido do seu povo o opróbrio do Egito.

Alguns versos à frente, no capítulo 6, o relato começa com a forma como Deus conduziu seus filhos para dominar e conquistar Jericó. Por que o opróbrio precisava ser retirado deles antes? O que é um opróbrio?

O OPRÓBIO DEFINIDO

A palavra opróbrio significa "culpa... desgraça: vergonha."[1] Quando Deus disse que ele iria "remover" dos israelitas o opróbrio do Egito, ele estava enfatizando algo. O Egito representa o mundo. Depois de estarmos alguns anos no mundo e nos termos tornado mundanos, é preciso que a vergonha seja removida.

Por causa das coisas que eu tinha feito e que tinham sido feitas a mim, eu tinha uma natureza baseada na vergonha. Culpava-me pelo que tinha acontecido comigo (ainda que a maior parte tivesse acontecido na minha infância e não houvesse nada que eu pudesse ter feito para evitar).

Eu disse que graça é o poder de Deus vindo a nós, como um dom gratuito, para nos ajudar a fazer com facilidade o que nós mesmos não podemos fazer. Deus quer nos dar graça, e Satanás quer nos dar desgraça, que é outra palavra para opróbrio.

A desgraça me disse que eu não era boa – não merecia o amor ou a ajuda de Deus. A vergonha havia envenenado meu íntimo. Eu estava não apenas envergonhada do que me tinha sido feito, mas estava envergonhada de mim mesma. Bem lá no fundo não gostava de mim.

O fato de Deus remover de nós a vergonha significa que cada um de nós deve receber por si mesmo o perdão que Ele está oferecendo por todos os nossos pecados passados.

Você deve perceber que jamais pode merecer as bênçãos de Deus – você jamais pode ser merecedor delas. Você pode apenas, humildemente, aceitá-las e apreciá-las e reverenciar a Deus pelo quanto Ele é bom e pelo quanto o ama.

Auto-aversão, auto-rejeição, recusa em aceitar o perdão de Deus (perdoando-se a si próprio), incompreensão da justificação por meio do sangue de Jesus e todos os problemas semelhantes o manterão vagueando pelo deserto. Sua mente deve ser renovada no que diz respeito ao posicionamento correto diante de Deus por intermédio de Jesus – e não de nossas próprias obras.

Estou convencida, depois de muitos anos de ministério, que 85 por cento dos nossos problemas originam-se da maneira como nos sentimos a respeito de nós mesmos. Qualquer pessoa que você sabe que está andando em vitória está também andando em retidão.

Sei que não mereço as bênçãos de Deus, mas as recebo assim mesmo porque sou uma co-herdeira com Cristo (Romanos 8.17). Ele as ganhou e as recebo colocando minha fé nEle.

HERDEIRA OU OPERÁRIA?

De sorte que já não és escravo [empregado doméstico], porém filho; e, sendo filho [segue-se que és], também herdeiro por Deus.

GÁLATAS 4.7

Você é um filho ou um escravo? Um herdeiro ou um servo? Um herdeiro é alguém que recebe alguma coisa não por mérito, como quando uma propriedade é passada de uma pessoa para outra por meio de um testamento. Um servo ou operário, no sentido bíblico, é alguém que está cansado de tentar seguir a Lei. O termo denota trabalho penoso e problemas.

Vagueei pelo deserto por anos como uma operária, tentando ser suficientemente boa para merecer o que Deus queria me dar gratuitamente pela sua graça. Eu tinha uma mentalidade errada.

Primeiro, pensava que tudo precisava ser ganho pelo trabalho e merecido: "Ninguém faz nada para você em troca de nada". Ensinaram-me esse princípio por anos. Por vezes seguidas tinha ouvido essa frase enquanto crescia. Diziam-me que qualquer pessoa que agisse como se quisesse fazer algo para mim estava mentindo e se aproveitaria de mim no final.

Capítulo 23

A experiência com o mundo nos ensina que devemos merecer tudo o que conseguimos. Se queremos amigos, dizem-nos, devemos mantê-los felizes o tempo todo, ou eles nos rejeitarão. Se queremos uma promoção no nosso emprego, todos dizem, devemos conhecer as pessoas certas, tratá-las de certa maneira, e talvez um dia consigamos uma chance de ir adiante. Quando, afinal, terminamos com o mundo, o opróbrio dele pesa sobre nós e precisa ser definitivamente removido.

COMO VOCÊ SE VÊ?

Também vimos ali [Nefilins ou] gigantes (os filhos de Anaque são descendentes de gigantes), e éramos, aos nossos próprios olhos, como gafanhotos e assim também o éramos aos seus olhos.

NÚMEROS 13.33

Os israelitas tinham esse opróbrio sobre eles. O fato de que tinham uma opinião negativa a respeito deles mesmos é visto nesse versículo. Dez dos doze espias, que foram mandados para espiar a Terra Prometida antes que toda a nação cruzasse o Jordão, voltaram dizendo que a terra era habitada por gigantes que os viam como gafanhotos – e assim eles eram aos seus próprios olhos.

Isso nos permite saber claramente o que essas pessoas pensavam sobre si mesmas.

Por favor, tome cuidado porque Satanás tentará encher sua mente (se lhe for permitido) com todos os tipos de pensamentos negativos sobre você mesmo. Ele começou cedo construindo fortalezas em sua mente, muitas delas negativas, sobre você e sobre como outras pessoas se sentem sobre você. Ele sempre arranja umas poucas situações nas quais você experimenta rejeição, então ele pode trazer a dor dela de volta à sua lembrança durante um tempo em que você está tentando fazer algum progresso.

O medo do fracasso e da rejeição mantém muitas pessoas no deserto. Os muitos anos sendo escravos no Egito e vivendo sob maus tratos extremos haviam deixado a vergonha sobre os israelitas. É interessante notar que quase ninguém da geração que inicialmente saiu com Moisés entrou na Terra Prometida. Seus filhos é que entraram. Apesar disso, Deus lhes disse que ele precisava tirar o opróbrio deles.

A maioria deles havia nascido no deserto, depois que seus pais deixaram o Egito. Como poderiam eles ter o opróbrio do Egito sobre eles, quando nem mesmo viveram lá?

Coisas que estavam sobre seus pais podem ser passadas a você. Atitudes, pensamentos e padrões de comportamento podem ser herdados. Uma mentalidade errada que seus pais tiveram pode se tornar sua mentalidade. A maneira como você pensa sobre determinado assunto pode lhe ser transmitida, e você nem mesmo sabe por que pensa dessa forma.

Um pai que tem uma auto-imagem pobre, uma atitude de inutilidade e uma mentalidade do tipo "não-mereço-as-bênçãosde-Deus" pode, definitivamente, transmitir essa mentalidade a seus filhos.

Embora tenha falado sobre isso neste livro, como é uma área tão importante, deixe-me mencionar outra vez que você precisa estar consciente do que se passa em sua mente em relação a si próprio. Deus está desejoso de lhe dar misericórdia pelas suas falhas se você estiver desejoso de recebê-la. Ele não recompensa o perfeito que não tem falhas e jamais comete erros, mas aqueles que põem sua fé e sua confiança nEle.

SUA FÉ EM DEUS LHE AGRADA

De fato, sem fé é impossível agradar [e satisfazer] a Deus, porquanto é necessário que aquele que se aproxima de Deus creia [necessariamente] que

Capítulo 23

> *ele existe e que se torna galardoador dos que o buscam [sinceramente e diligentemente].*
>
> HEBREUS 11.6

Por favor, note que sem fé você não pode agradar a Deus; portanto, sejam quantas forem as "boas obras" que você faz, isso não o agradará se forem feitas para "comprar" seu favor.

Qualquer coisa que façamos por Deus deveria ser porque O amamos, não porque estamos tentando conseguir alguma coisa dEle.

Essa passagem poderosa diz que Deus é um galardoador daqueles que O buscam diligentemente. Eu me regozijei quando finalmente vi isso! Sei que cometi muitos erros no passado, mas também sei que tenho buscado o Senhor diligentemente, com todo o meu coração. Isso significa que me qualifico para as recompensas. Decidi muito tempo atrás que receberia todas as bênçãos que Deus quisesse me dar.

O Senhor queria levar os israelitas à Terra Prometida e abençoá-los além de seus sonhos mais extraordinários, mas primeiro Ele tinha de remover o opróbrio deles. Eles não poderiam receber dEle adequadamente enquanto estivessem oprimidos com vergonha, culpa e desgraça.

ACIMA DO OPRÓBRIO

> *Assim como [por seu amor] nos escolheu [na verdade, ele nos tomou para si próprio como propriedade dele] nele [em Cristo] antes da fundação do mundo, para sermos santos [consagrados e separados para ele] e irrepreensíveis perante ele; e em amor.*
>
> EFÉSIOS 1.4

Essa é uma passagem maravilhosa! Nela o Senhor nos diz que somos dEle e estabelece o que Ele quer para nós – que saibamos que somos amados, especiais, valiosos e que deveríamos ser santos, irrepreensíveis e estar acima do opróbrio.

Naturalmente deveríamos fazer o possível para vivermos uma vida santa. Mas, graças a Deus, quando cometemos erros, podemos ser perdoados e restaurados à santidade, feitos outra vez irrepreensíveis e acima do opróbrio – tudo "nEle".

SEM OPRÓBRIO OU CENSURA

> *Se, porém, algum de vós necessita de sabedoria, peça-a a Deus, que a todos dá liberalmente e nada lhes impropera [sem repreender nem censurar]; e ser-lhe-á concedida.*
>
> TIAGO 1.5

Essa é outra grande passagem que nos ensina a receber de Deus livres de qualquer vergonha.

Tiago tinha estado falando a pessoas que estavam experimentando provações e agora ele está lhes dizendo que, se precisassem de sabedoria na situação deles, deveriam pedir a Deus. Ele lhes assegura que não os repreenderá nem censurará – Ele simplesmente os ajudará.

Você jamais atravessará o deserto sem uma grande ajuda de Deus. Mas, se tiver uma atitude negativa sobre si mesmo, mesmo que Ele tente ajudá-lo, você não a receberá.

Se você desejar ter uma vida vitoriosa, poderosa e positiva, não pode ser negativo sobre si mesmo. Não olhe apenas para quão longe terá de ir, mas para quão longe já chegou. Considere seu progresso e lembre-se de Filipenses 1.6: ... *Estou plenamente certo de que aquele que começou boa obra em vós há de completá-la até ao Dia de Cristo Jesus.*

Pense e fale positivamente sobre si mesmo!

Capítulo 24

Por Que eu Não Deveria ser Ciumento e Invejoso Quando Todo Mundo Está em Melhor Situação do que Eu?

Mentalidade de Deserto N° 9

Vendo-o (João), pois, Pedro perguntou a Jesus: E quanto a este? Respondeu-lhe Jesus: Se eu quero que ele permaneça (sobreviva, viva) até que eu venha, que te importa? Quanto a ti, segue-me.
JOÃO 21.21-22

Em João 21 Jesus estava conversando com Pedro a respeito das dificuldades que ele teria de suportar para servi-lo e glorificá-lo. Assim que Jesus lhe disse essas coisas, Pedro se voltou, viu João e, imediatamente, perguntou a Jesus qual era Sua vontade para ele. Pedro queria ter certeza de que se ele ia passar por tempos difíceis, então, João também iria.

Como resposta, Jesus, polidamente, disse a Pedro que cuidasse da sua vida.

Tomar conta (ter nossa mente em) da vida dos outros nos manterá no deserto. O ciúme, a inveja e a comparação mental de nós mesmos e nossas circunstâncias com os outros é uma mentalidade de deserto.

TOME CUIDADO COM O CIÚME E A INVEJA

> O ânimo sereno [uma mente e um coração calmos e imperturbáveis] é a vida do corpo, mas a inveja [o ciúme e a ira] é a podridão dos ossos.
>
> PROVÉRBIOS 14.30

A inveja levará uma pessoa a se comportar de forma insensível e áspera — às vezes até animalesca. A inveja levou os irmãos de José a vendê-lo como escravo. Eles o odiavam porque o pai deles o amava muito.

Se há alguém em sua família que parece receber mais atenção do que você, não o odeie. Confie em Deus! Faça o que Ele lhe pedir para fazer — descanse nEle para receber favor — e você terminará como José — extremamente abençoado.

O *Dicionário Expositivo das Palavras do Novo Testamento*, de Vine, define a palavra grega traduzida como *inveja* como "o sentimento de descontentamento produzido ao se testemunhar ou ouvir sobre a vantagem ou prosperidade de outros".[1]

Ciúme é definido pelo Webster como "sentimento de inveja, apreensão ou amargura."[2] Interpreto essa definição como o temor de perder o que se tem para outra pessoa; ressentimento do sucesso de outra pessoa, que nasce de sentimentos de inveja.

NÃO COMPARAR NEM COMPETIR

> Suscitaram também entre si uma discussão [acirrada] sobre qual deles parecia ser [e era considerado] o maior. Mas Jesus

Por Que eu Não Deveria ser Ciumento e Invejoso Quando Todo Mundo...

> *lhes disse: Os reis dos povos dominam sobre eles, e os que*
> *exercem autoridade [sobre eles reinando como imperadores-deuses*
> *sobre eles] são chamados benfeitores [e praticantes do bem].*
> *Mas vós não sois assim; pelo contrário, o maior entre vós seja como*
> *o menor; e aquele que dirige [e lidera] seja como o que serve.*
>
> Lucas 22.24-26

Quando eu era jovem, tinha muitas lutas com o ciúme, a inveja e a comparação. Essa é uma característica dos inseguros. Se não estivermos seguros com relação ao nosso próprio valor e importância como um indivíduo único, nos acharemos competindo com qualquer um que pareça ser bem-sucedido e estar se dando bem.

Aprender que eu era um indivíduo (que Deus tem um plano único e pessoal para minha vida) tem sido, com certeza, uma das mais valiosas e preciosas liberdades que o Senhor me deu. Estou segura de que não preciso comparar-me (ou comparar meu ministério) com ninguém.

Sou sempre encorajada de que há esperança para mim quando olho para os discípulos de Jesus e percebo que eles lutaram com muitas das mesmas coisas com as quais luto. Em Lucas 22, encontramos os discípulos discutindo sobre qual deles era o maior. Jesus lhes respondeu dizendo que o maior era, na verdade, aquele que desejava ser o menor ou aquele que desejava ser um servo. Nosso Senhor gastou grande parte do seu tempo para ensinar seus discípulos que a vida no Reino de Deus é geralmente o oposto da forma do mundo ou da carne. Jesus ensinou-lhes coisas como: "Muitos que são os primeiros serão os últimos e os últimos serão os primeiros" (Marcos 10.31); "Regozijem-se com aqueles que são abençoados" (Lucas 15.6-9); "Ore por seus inimigos e abençoe aqueles que o maltratam" (Mateus 5.44). O mundo diria que isso é tolice – mas Jesus diz que é o poder real.

Capítulo 24

EVITE COMPETIÇÕES MUNDANAS

> *Não nos deixemos possuir de vanglória [e orgulho, competição e desafio], provocando [e irritando] uns aos outros, tendo inveja [e ciúme] uns dos outros.*
>
> GÁLATAS 5.26

De acordo com o sistema do mundo, o melhor lugar para estar é na frente de todos os outros. O pensamento popular diria que deveríamos tentar chegar ao topo, a despeito de quem quer que tenhamos de ferir na nossa escalada. Mas a Bíblia nos ensina que não há tal coisa como paz real até que sejamos libertos da nossa necessidade de competir com os outros.

Mesmo no que se supõe ser considerado "jogos de brincadeira", frequentemente vemos a competição perder tanto o equilíbrio que as pessoas acabam discutindo e se odiando, em vez de simplesmente relaxar e passar um tempo agradável juntas. Naturalmente, os seres humanos não jogam para perder; todos fazem o seu melhor. Mas quando uma pessoa não pode desfrutar um jogo a menos que esteja ganhando, ela, definitivamente, tem um problema – possivelmente um problema profundamente enraizado que está causando outros problemas em muitas áreas da sua vida.

Deveríamos, com toda a certeza, fazer o nosso melhor no trabalho; não há nada errado em querer se sair bem e progredir em nossa profissão. Mas encorajo-o a lembrar-se de que, para o crente, promoção vem de Deus, e não do homem. Não precisamos fazer o jogo do mundo para progredir. Deus nos dará favor com Ele e com os outros se fizermos as coisas à sua maneira (Provérbios 3.3-4).

Ciúme e inveja são tormentos do inferno. Gastei muitos anos da minha vida sendo ciumenta e invejosa de qualquer um que parecesse melhor do que eu ou que tivesse talentos que eu não tinha. Secretamente, eu vivia em competição com outros em ministério. Era importante para mim que "meu" ministério fosse maior em

Por Que eu Não Deveria ser Ciumento e Invejoso Quando Todo Mundo...

tamanho, mais bem frequentado, mais próspero, etc., do que o de qualquer outra pessoa. Se o ministério de outra pessoa superasse o meu em qualquer aspecto, eu queria me sentir feliz por aquele indivíduo porque sabia que era a vontade e a maneira de Deus, mas alguma coisa em minha alma simplesmente não o permitia.

Descobri, à medida que cresci no conhecimento de quem eu era em Cristo e não em minhas obras, que ganhava liberdade em não ter de comparar a mim mesma ou qualquer coisa que fizesse com quem quer que fosse. Quanto mais aprendia a confiar em Deus, mais liberdade desfrutava nessas áreas. Aprendi que meu Pai celestial me ama e fará por mim o que for melhor – por mim.

O que Deus faz por você ou por mim pode não ser o que Ele faz por outra pessoa, mas devemos nos lembrar do que Jesus disse a Pedro: "Não se preocupe com o que eu decidir fazer com outra pessoa – siga-me"!

Uma amiga minha, certa vez, recebeu um dom do Senhor que eu estava desejando e aguardando por muito tempo. Bem, eu não considerava essa amiga nem um pouco "espiritual" como eu, então senti muito ciume e inveja quando ela veio alegremente à minha porta compartilhar comigo o que Deus havia feito por ela. Claro, na sua presença fingi estar feliz por ela, mas em meu coração não estava.

Quando ela se foi, jorraram atitudes que eu jamais pensaria que estivessem em mim. Na verdade, ressenti-me com a bênção que Deus lhe dera porque não achava que ela a merecia. Afinal de contas, eu ficava em casa, jejuava e orava enquanto ela corria para lá e para cá com seus amigos e tinha bons momentos. Veja você, eu era um "fariseu", uma religiosa esnobe e nem mesmo sabia disso.

Deus coloca os acontecimentos muito frequentemente da forma que não escolheríamos, porque Ele sabe do que realmente precisamos. Eu precisava livrar-me das minhas atitudes más, seja lá em que estava crendo. É importante que Deus disponha as circunstâncias de tal forma que tenhamos, finalmente, de encarar a nós mesmos. De outra forma, jamais experimentaremos a liberdade.

Enquanto o inimigo puder se esconder em nossa alma, ele sempre terá certa parcela de controle sobre nós. Mas, quando Deus o expõe, estaremos a caminho da liberdade se nos colocarmos nas mãos dEle e Lhe permitirmos fazer rapidamente o que Ele deseja fazer.

Deus já havia, na verdade, proposto para minha vida que o ministério do qual Ele me faria mordomo deveria ser bastante grande e alcançar milhões de pessoas pelo rádio e pela televisão, por meio de seminários, de livros e de fitas de áudio. Mas ele não me traria à plenitude do ministério exceto se eu "crescesse" nEle.

TENHA UMA NOVA MENTALIDADE!

Amado, acima de tudo, faço votos por tua prosperidade e saúde, assim como é próspera a tua alma.

3 João 2

Reflita nessa passagem cuidadosamente. Deus *deseja nos abençoar até mesmo mais do que nós desejamos ser abençoados*. Mas ele também nos ama o suficiente para não nos abençoar além da nossa capacidade de administrar as bênçãos apropriadamente e continuar dando-Lhe glória.

O ciúme, a inveja e a comparação de si próprio com os outros é infantil. Isso pertence inteiramente à carne e não tem nada a ver com coisas espirituais. Mas é uma das principais causas para uma vida de deserto.

Preste atenção nos seus pensamentos nessa área. Quando reconhecer padrões errados de pensamentos começando a fluir em sua mente, converse consigo mesmo um pouco. Diga a você mesmo: "Que bem me fará ter ciúme dos outros? Isso não me tornará abençoado. Deus tem um plano individual para cada um de nós e vou confiar nEle para fazer o melhor para mim. Não é da minha conta o que Ele escolhe fazer por outras pessoas". Então, determinada e deliberadamente, ore para que eles sejam mais abençoados.

Não tenha medo de ser honesto com Deus sobre seus sentimentos. De qualquer maneira, Ele sabe como você se sente, então você pode também falar com Ele sobre isso.

Eu disse coisas ao Senhor como esta: "Deus, oro para que _____ seja abençoada ainda mais. Faz com que ela prospere; abençoa-a de todas as maneiras. Senhor, estou orando assim pela fé. Em meu espírito, sinto ciúme dela e sinto-me inferior a ela, mas escolho fazer isso à Tua maneira, quer eu deseje fazê-lo, quer não."

Recentemente, ouvi alguém dizer que, apesar de fazermos alguma coisa muito bem, sempre surgirá alguém que pode fazê-lo melhor. Essa afirmação teve um impacto em mim, porque sei que é verdade. E se isso é verdade, então qual o propósito de lutar toda a nossa vida para passar na frente de outra pessoa? Assim que nos tornarmos o número 1, alguém estará competindo conosco e, mais cedo ou mais tarde, aparecerá aquela pessoa que pode fazer o que quer que estejamos fazendo um pouco melhor do que nós.

Pense em esportes; parece que não importa o recorde atingido por um atleta; outro atleta surge e o quebra. E quanto à área do entretenimento? O astro do momento fica no topo apenas por certo período, e, então, vem alguém novo e toma o lugar dele. Que terrível decepção é pensar que devemos sempre lutar para estar à frente de outra pessoa – e, então, lutar para permanecer lá.

Deus me disse há muito tempo que me lembrasse de que "meteoros" sobem rapidamente e conseguem muita atenção, mas geralmente eles permanecem por apenas um pequeno período. Na maioria das vezes, eles caem tão rapidamente quanto sobem. Ele me disse que é melhor estar presente para o embate – à vista – e fazendo o que ele me pediu para fazer com o máximo da minha habilidade.

Ele me assegurou de que tomará conta da minha reputação. Da minha parte, decidi que o que Ele quer que eu faça e seja está bem para mim. Por quê? Porque Ele sabe o que posso fazer melhor do que eu.

Talvez você tenha mantido uma fortaleza mental por longo tempo nessa área. Cada vez que você encontra alguém que parece estar um pouco à sua frente você sente ciúme, inveja ou desejo de entrar em competição com ela. Se assim é, exorto-o a ter nova mentalidade.

Ajuste sua mente para ser feliz pelos outros e confiar em Deus a seu respeito. Levará algum tempo e persistência, mas, quando aquela velha fortaleza mental for destruída e substituída pela Palavra de Deus, você estará a caminho da saída do deserto e da entrada da Terra Prometida.

Capítulo 25

Vou Fazer do Meu Jeito ou, Então, Não Faço de Jeito Nenhum

Mentalidade de Deserto N° 10

Para que pusessem em Deus a sua confiança e não se esquecessem dos feitos de Deus, mas lhe observassem os mandamentos. E que não fossem, como seus pais, geração obstinada e rebelde, geração de coração inconstante [que não preparou seu coração para conhecer a Deus], e cujo espírito não foi [firme nem] fiel a Deus.

SALMO 78.7-8

Os israelitas demonstraram muita teimosia e rebeldia durante seus anos de deserto. Foi precisamente isso que os levou a morrer lá. Eles simplesmente não faziam o que Deus lhes dizia para fazer! Clamavam a Deus para tirá-los do problema quando se metiam em confusão. Eles até mesmo respondiam às suas instruções com obediência — até que as coisas melhoravam. Então, repetidamente, eles iam imediatamente de volta à rebeldia.

Esse mesmo ciclo é repetido e registrado tantas vezes no Velho Testamento que é quase inacreditável. Mesmo assim, se não andarmos em sabedoria, gastaremos nossa vida fazendo a mesma coisa.

Suponho que alguns de nós somos simplesmente por natureza um pouco mais teimosos e rebeldes do que outros. E então, claro, devemos refletir sobre nossas raízes e como começamos nossa vida, porque isso nos afeta.

Nasci com uma personalidade forte e, provavelmente, teria gasto muitos anos da minha vida tentando "fazer as coisas do meu jeito", a despeito de tudo. Mas os anos que passei sendo abusada e controlada – somados a uma personalidade já forte – combinaram-se para desenvolver em mim a mentalidade que ninguém iria me dizer o que fazer.

Obviamente, Deus teve de tratar essa atitude errada antes que Ele pudesse me usar.

O Senhor exige que aprendamos a abrir mão da nossa vontade e sejamos flexíveis e moldáveis em Suas mãos. Enquanto formos teimosos e rebeldes, Ele não pode nos usar.

Descrevo "teimoso" como obstinado, difícil de tratar ou trabalhar, e "rebelde" como resistente ao controle, resistente à correção, ingovernável, que se recusa seguir normas comuns. Ambas essas definições me descrevem como eu era!

O abuso que sofri na minha infância causou muitas atitudes desequilibradas em relação à autoridade. Mas, como disse neste livro, eu não poderia permitir que meu passado se tornasse uma desculpa para continuar presa na rebelião ou em qualquer outra coisa. A vida vitoriosa exige obediência pronta e escrupulosa ao Senhor. Crescemos em nossa habilidade e desejo de deixar a nossa vontade de lado e fazer a dEle. É vital que continuemos a fazer progresso nessa área.

Não é suficiente atingir um platô e pensar: "Cheguei tão longe quanto queria." Devemos ser obedientes em tudo – sem reter nada nem manter quaisquer portas em nossa vida fechadas ao Senhor. Nós todos temos essas áreas "certas" em que persistimos tanto quanto possível, mas exorto-o a lembrar-se de que um pouco de fermento leveda toda a massa (1 Coríntios 5.6).

DEUS QUER OBEDIÊNCIA, NÃO SACRIFÍCIO!

> *Porém Samuel disse (ao rei Saul): Tem, porventura, o Senhor tanto prazer em holocaustos e sacrifícios quanto em que se obedeça à sua palavra? Eis que o obedecer é melhor do que o sacrificar, e o atender, melhor do que a gordura de carneiros.*
> *Porque a rebelião é como o pecado de feitiçaria, e a obstinação é como a idolatria e culto a ídolos do lar (imagens domésticas de boa sorte).*
> *Visto que rejeitaste a palavra do Senhor, ele também te rejeitou a ti, para que não sejas rei.*
>
> 1 SAMUEL 15.22-23

Um exame da vida de Saul nos mostra vividamente que lhe foi dada uma oportunidade de ser rei. Ele não manteve a posição por muito tempo por causa da teimosia e rebeldia. Ele tinha suas próprias idéias sobre as coisas.

Certa vez, quando o profeta Samuel estava corrigindo Saul por não fazer o que havia sido instruído a fazer, a resposta de Saul foi: "Eu achei que...". Ele, então, continuou expressando sua idéia de como ele pensava que as coisas deveriam ser feitas (1 Samuel 10.6-8; 13.8-14). A resposta de Samuel ao rei Saul foi que Deus desejava obediência, não sacrifício.

Frequentemente não queremos fazer o que Deus pede e, então, tentamos fazer alguma coisa para compensar nossa desobediência.

Quantos filhos de Deus deixam de "reinar como reis na vida" (Romanos 5.17; Apocalipse 1.6) por causa da sua teimosia e rebeldia!

A introdução ao livro de Eclesiastes na *Bíblia Amplificada* diz isto: "O propósito deste livro é investigar a vida como um todo e ensinar que em última análise a vida é sem sentido sem o respeito e reverência apropriados a Deus".

Devemos nos lembrar de que sem obediência não há respeito e reverência apropriados. A rebeldia demonstrada por muitos filhos hoje é causada por falta de respeito e reverência aos pais. Isso geral-

Capítulo 25

mente é culpa dos pais, porque eles não viveram diante dos seus filhos uma vida que evocaria respeito e reverência.

A maioria dos estudiosos concorda que o livro de Eclesiastes foi escrito pelo rei Salomão, que recebeu mais sabedoria de Deus do que qualquer outro homem. Se Salomão tinha tanta sabedoria, como poderia ter cometido tantos erros tristes em sua vida? A resposta é simples: é possível ter alguma coisa e não usá-la. Nós temos a mente de Cristo, mas sempre a usamos? Jesus foi feito para nós sabedoria de Deus, mas sempre usamos sabedoria?

Salomão queria ir pelo seu próprio caminho e fazer as suas próprias coisas. Ele passou a sua vida tentando, primeiro, uma coisa e depois, outra. Ele teve toda e qualquer coisa que o dinheiro pode comprar – o melhor de cada prazer do mundo – e, entretanto, isto é o que ele disse na conclusão do seu livro:

> *De tudo o que se tem ouvido, a suma é: Teme a Deus [reverencia-o e presta-lhe culto, sabendo que ele é] guarda os seus mandamentos; porque isto é o dever de todo homem [o propósito pleno e original da criação de Deus, o objeto da providência de Deus, a raiz do caráter, o fundamento de toda felicidade, a adequação de todas as circunstâncias e condições desarmoniosas debaixo do sol].*
>
> ECLESIASTES 12.13

Deixe-me colocar com minhas próprias palavras o que entendo dessa passagem:

"O inteiro propósito da criação do homem é que ele reverencie e adore a Deus por meio da obediência a Ele. Todo caráter divino deve estar enraizado na obediência – é o fundamento de toda a felicidade. Ninguém pode ser verdadeiramente feliz sem ser obediente a Deus. Qualquer coisa em nossa vida que esteja fora de ordem será ajustada pela obediência. A obediência é obrigação total do homem."

No que me diz respeito, essa é uma passagem admirável e eu o encorajo a continuar estudando-a.

Obediência e desobediência: Ambas têm consequências
Porque, como, pela desobediência de um só homem, muitos se tornaram pecadores, assim também, por meio da obediência de um só, muitos se tornarão justos.

ROMANOS 5.19

Nossa escolha para obedecer ou não obedecer não apenas afeta a nós, mas a multidões de outras pessoas. Apenas pense nisto: se os israelitas tivessem obedecido a Deus prontamente, a vida deles teria sido longa. Muitos deles e seus filhos morreram no deserto porque não se submeteram à vontade de Deus. Seus filhos foram afetados pelas suas decisões, e assim são os nossos.

Recentemente, meu filho mais velho disse: "Mamãe, tenho alguma coisa para lhe dizer e posso chorar, mas me escute". Então ele continuou dizendo: "Tenho pensado sobre você e o papai e os anos que vocês têm colocado nesse ministério e em todas as vezes que vocês escolheram obedecer a Deus e como nem sempre foi fácil para vocês. Percebo, mamãe, que você e o papai passaram por coisas que ninguém sabe, e quero que você saiba que esta manhã Deus me fez consciente de que estou sendo beneficiado com a obediência de vocês e agradeço-lhes por isso".

O que ele disse significou muito para mim e lembrou-me de Romanos 5.19.

Sua decisão de obedecer a Deus afeta outras pessoas, e quando você decide desobedecer isso também afeta outros. Você pode desobedecer a Deus e escolher permanecer no deserto, mas, por favor, tenha em mente que se você agora tem ou terá filhos e sua decisão os manterá no deserto com você. Eles conseguirão sair quando crescerem, mas posso assegurar-lhe que eles pagarão um preço por sua desobediência.

Sua vida poderia estar em melhores condições se alguém em seu passado tivesse obedecido a Deus.

Capítulo 25

A obediência é uma coisa de longo alcance; ela fecha os portões do inferno e abre as janelas do céu.

Eu poderia escrever um livro inteiro sobre a obediência, mas por agora simplesmente quero chamar a atenção para o fato de que uma vida de desobediência é fruto de pensamento errado.

TRAGA TODO PENSAMENTO CATIVO A CRISTO

Porque as armas da nossa milícia não são carnais [armas de carne e sangue], e sim poderosas em Deus, para [demolir e] destruir fortalezas, anulando nós sofismas [teorias e questionamentos] e toda altivez [e coisa grandiosa] que se levante contra o [verdadeiro] conhecimento de Deus, e levando cativo todo pensamento [e propósito] à obediência de Cristo (o Messias, o Ungido).

2 CORÍNTIOS 10.4,5

São nossos pensamentos que, muito frequentemente, nos colocam em problemas. Em Isaías 55.8, o Senhor diz: *Porque meus pensamentos não são vossos pensamentos, nem vossos caminhos meus caminhos...* Não importa o que eu ou você possamos pensar, Deus escreveu seus pensamentos para nós em seu livro chamado *Bíblia*. Devemos escolher examinar nossos pensamentos à luz da Palavra de Deus, sempre desejando submetê-los aos pensamentos de Deus, sabendo que os dEle são melhores.

Esse é exatamente o ponto central de 2 Coríntios 10.4-5. Examine o que está em sua mente. Se concordar com os pensamentos de Deus (a Bíblia), então lance fora seus próprios pensamentos e pense os dEle.

As pessoas que vivem na vaidade da sua própria mente não apenas destroem a si mesmas, mas muito frequentemente trazem destruição aos outros à sua volta.

A mente é o campo de batalha!

Vou Fazer do Meu Jeito ou, Então, Não Faço de Jeito Nenhum

É nessa esfera da mente que você vencerá ou perderá a guerra que Satanás deflagrou. É a minha mais sincera oração que este livro o ajude a lançar fora as imaginações e cada coisa elevada e altiva que se exalta contra o conhecimento de Deus, trazendo todo pensamento cativo à obediência de Jesus Cristo.

Notas

CAPÍTULO 7

1 VINE, W. E. An expository dictionary of New Testament words. Old Tappan: Fleming H. Revell, 1940. v. IV, SET-Z, p. 190.

2 STRONG, James. The new Strong's exhaustive concordance of the bible. Nashville: Thomas Nelson Publishers, 1984. Greek dictionary of the New Testament, p. 24.

3 WEBSTER'S II. New Riverside University dictionary. Boston: Houghton Mifflin Company, 1984: meditate.

4 VINE, v. III. LO-SER, p. 55.

CAPÍTULO 9

1 WEBSTER'S II: wander.

2 WEBSTER'S II: wonder.

CAPÍTULO 10

1 WEBSTER'S II: reason.

CAPÍTULO 11

1 VINE, v. I: DYS, p. 335.

2 VINE, v. IV: SET-Z, p. 165.

CAPÍTULO 12

1 WEBSTER'S II: worry.
2 THE RANDOM House Unabridged Dictionary. 2. ed. New York: Random House, 1993: worry.

CAPÍTULO 13

1 VINE, v. II: E–LI, p. 281.
2 VINE. Hebrew and greek words, v. II: E–LI, p. 280.

CAPÍTULO 15

1 WEBSTER'S II: depress.
2 WEBSTER'S II: depressed.
3 VINE, v. II: E–LI, p. 60.
4 VINE, v. II: L–SER, p. 55.
5 STRONG'S new exhaustive concordance. Hebrew and Chaldee dictionary, p. 32.

CAPÍTULO 23

1 WEBSTER'S II: reproach.

CAPÍTULO 24

1 VINE, v. II: E–LI, p. 37.
2 WEBSTER'S II: jealousy.

Bibliografia

THE RANDOM House Unabridged dictionary. 2. ed. New York: Random House, 1993.

STRONG, James. The new Strong's exhaustive concordance of the bible. Nashville: Thomas Nelson Publishers, 1984.

VINE, W. E. An expository dictionary of New Testament words. Old Tappan: Fleming H. Revell, 1940.

WEBSTER'S II. New Riverside University dictionary. Boston: Houghton Mifflin Company, 1984.

Sobre a Autora

Joyce Meyer é uma das líderes no ensino prático da Bíblia no mundo. Renomada autora de *best-sellers* pelo *New York Times*, seus livros ajudaram milhões de pessoas a encontrarem esperança e restauração através de Jesus Cristo.

Através dos *Ministérios Joyce Meyer*, ela ensina sobre centenas de assuntos, é autora de mais de 80 livros e realiza aproximadamente quinze conferências por ano. Até hoje, mais de doze milhões de seus livros foram distribuídos mundialmente, e em 2007 mais de três milhões de cópias foram vendidas. Joyce também tem um programa de TV e de rádio, *Desfrutando a Vida Diária*®, o qual é transmitido mundialmente para uma audiência potencial de três bilhões de pessoas. Acesse seus programas a qualquer hora no site www.joycemeyer.com.br

Após ter sofrido abuso sexual quando criança e a dor de um primeiro casamento emocionalmente abusivo, Joyce descobriu a liberdade de viver vitoriosamente aplicando a Palavra de Deus à sua vida, e deseja ajudar outras pessoas a fazerem o mesmo. Desde sua batalha contra um câncer no seio até as lutas da vida diária, Joyce Meyer fala de forma aberta e prática sobre sua experiência, para que outros possam aplicar o que ela aprendeu às suas vidas.

Ao longo dos anos, Deus tem dado a Joyce muitas oportunidades de compartilhar seu testemunho e a mensagem de mudança de vida do Evangelho. De fato, a revista *Time* a selecionou como uma das mais influentes líderes evangélicas dos Estados Unidos. Sua vida é um incrível testemunho do dinâmico e restaurador trabalho de Jesus Cristo. Ela crê e ensina que, independente do passado da pessoa ou dos erros cometidos, Deus tem um lugar para ela, e pode ajudá-la em seus caminhos para desfrutar a vida diária.

Joyce tem um merecido PhD em teologia pela Universidade Life Christian em Tampa, Flórida; um honorário doutorado em divindade pela Universidade Oral Roberts em Tulsa, Oklahoma; e um honorário doutorado em teologia sacra pela Universidade Grand Canyon em Phoenix, Arizona. Joyce e seu marido, Dave, são casados há mais de quarenta anos e são pais de quatro filhos adultos. Dave e Joyce Meyer vivem atualmente em St. Louis, Missouri.